신약

2

유치부 교사용

비유와 기적

The Gospel Project for Kids

가스펠 프로젝트

신약 2

비유와 기적

유치부 교사용

지은이 · LifeWay Kids / 옮긴이 · 권혜신 / 감수 · 김병훈, 류호성, 정희영

초판 발행 · 2018. 9. 27 / 등록번호 · 제1988-000080호
등록된 곳 · 서울특별시 용산구 서빙고로65길 38 / 발행처 · 사단법인 두란노서원
영업부 · 02) 2078-3352, 3452, 3752, 3781 / FAX 080-749-3705
편집부 · 02) 2078-3437
표지 디자인 · 땅콩프레스 / 활동 연구 · 김찬숙, 박청아, 유은정, 이향순, 진명선, 홍선아

책값은 뒤표지에 있습니다.
ISBN 978-89-531-3223-8 04230 / 978-89-531-3151-4(세트)

홈페이지 · gospelproject.co.kr **두란노몰** · mall.duranno.com

두란노서원은 바울 사도가 3차 전도 여행 때 에베소에서 성령 받은 제자들을 따로 세워 하나님의 말씀으로 양육하던 장소입니다.
사도행전 19장 8-20절의 정신에 따라 첫째 목회자를 돕는 사역과 평신도를 훈련시키는 사역,
둘째 세계선교TM와 문서선교단행본 · 잡지 사역, 셋째 예수문화 및 경배와 찬양 사역, 그리고 가정 · 상담 사역 등을 감당하고 있습니다.
1980년 12월 22일에 창립된 두란노서원은 주님 오실 때까지 이 사역들을 계속할 것입니다.

차례

이렇게 활용해 보세요!

단원 개요 1

'가스펠 프로젝트(하나님의 구원 계획)'의 연대기적 큰 흐름 속에서 각 단원과 각 과의 주제를 살펴봅니다.

1 **카운트다운 :** 단원별로 제공되는 3분 카운트다운 영상으로, 장소를 옮기거나 시간을 구분 짓는 방법으로 활용할 수 있습니다.

2 **단원 암송 :** 단원의 핵심 메시지가 담긴 성경 구절입니다. 연령에 맞게 적절한 길이로 암기할 수 있도록 주요 어휘에 밑줄 표시를 해 두었습니다.

3 **주제 :** 각 과의 핵심 줄거리를 파악할 수 있습니다.

4 **예수님 생각하기 :** 성경 이야기에 담긴 복음을 발견하게 합니다. 모든 성경 이야기는 그리스도와 연결됩니다.

5 **성경의 초점 :** 본문과 관련된 성경의 중심 주제를 문답 형식으로 정리한 문장입니다. 단원별로 제시된 성경의 초점을 익히며 성경의 흐름을 이해하게 합니다.

DVD
＊지도자용 팩의 PC 전용 DVD-Rom에 영상, 그림, 음원, 악보, PPT 등의 자료가 있습니다.

말씀 묵상 2

말씀을 묵상하며 교육 목표를 확인하고, 기도로 준비합니다.

1 **본문 속으로 :** 각 과를 준비하며 묵상할 내용과 티칭 포인트를 제시합니다. 청장년용 《가스펠 프로젝트》로 교사 소그룹 모임에서 더 깊은 묵상을 나누며 성경 읽기를 병행할 것을 권유합니다. 부모 소그룹 모임은 교회와 가정을 연계해 교육 효과를 더욱 높여 줄 것입니다.

2 **QR 코드 :** 가스펠 프로젝트 홈페이지(gospelprojet.co.kr)에서 각 과별 교사 지도 가이드 동영상을 무료로 이용할 수 있습니다.

3 **이야기 성경 :** '가스펠 설교'에서 사용하는 구어체 설교입니다. 같은 내용의 영상이 지도자용 팩에 있습니다.

가스펠 준비 3

사전 활동을 살펴봅니다.

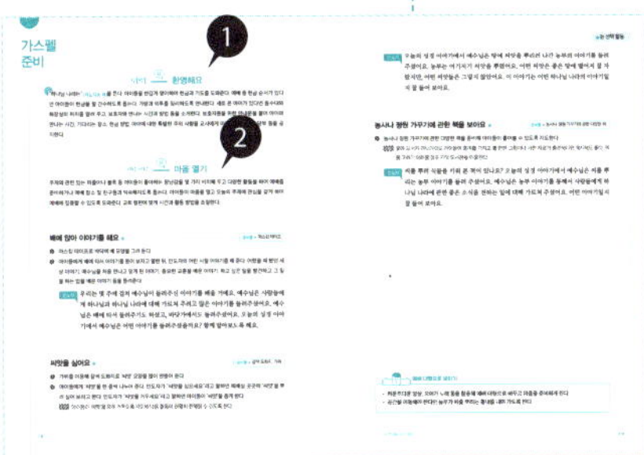

1 **싱글벙글 환영해요 :** 아이들을 맞이할 때 염두에 두어야 할 정보를 담았습니다.

2 **너랑 나랑 마음 열기 :** 각 과의 주제와 연결된 간단한 게임 활동을 소개합니다.

가스펠 설교 4

들어가기 – 성경 이야기 – 메시지와 정리 – 성경의 초점 – 복음 초청 – 기도 – 암송송에 이르는 설교 가이드입니다.

1 **들어가기 :** 도입 아이디어를 소개합니다.

2 **메시지와 정리 :** 각 과의 성경 이야기를 정리하고 연대표를 이용해 '가스펠 프로젝트(하나님의 구원 계획)'의 큰 흐름 속에서 각 과의 위치를 파악해 봅니다.

3 **복음 초청 :** 매주 복음을 전하고 영접 기도로 이끌 수 있는 초청 대화를 담았습니다. 지도자용 팩과 가스펠 프로젝트 홈페이지에서 영상을 활용할 수 있습니다.

4 **암송송 :** 단원의 핵심 메시지가 담긴 성경 구절을 쉽게 익힐 수 있도록 찬양과 손유희를 소개합니다.

가스펠 소그룹 5

말씀 놀이 – 간식 – 마무리 순서로 진행되는 소그룹 가이드입니다.

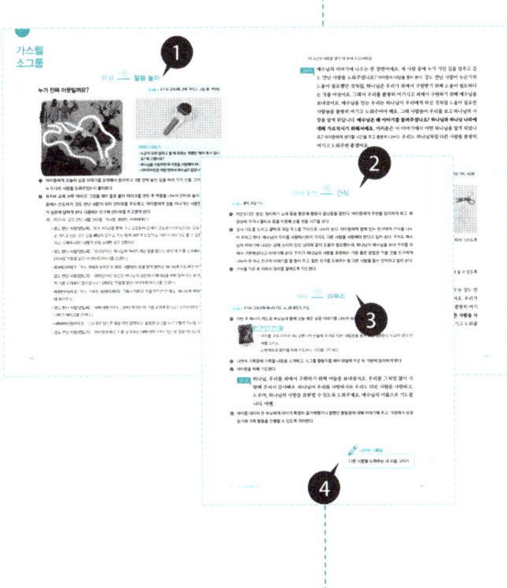

1 **알콩달콩 말씀 놀이 :** 성경 이야기에서 배운 내용들을 되새기며 즐겁게 놀이할 수 있는 다양한 활동을 소개합니다. 각 과의 첫 번째 활동에는 유치부 교재를 풍성하게 활용할 수 있는 교수 방법이 담겨 있습니다.

2 **소곤소곤 꿀~꺽 간식 :** 각 과에 어울리는 간식과 효과적인 간식 지도 방법을 소개합니다.

3 **오순도순 마무리 :** 메시지 카드(가정 연계 자료)를 나눠 주고, 활동 자료를 파일에 정리한 후 기도로 마무리하는 안내입니다.

4 **나만의 기록장 :** 각 과를 정리하며 나 자신을 돌아보게 하는 활동입니다. 메시지 카드 뒷면 또는 별도의 수첩이나 스케치북을 활용해 신앙 성장의 기록을 모아 가기를 권장합니다.

발간사

이형기
두란노서원 원장

두란노서원을 통해 라이프웨이(LifeWay)의 《가스펠 프로젝트》 성경 공부 교재 시리즈를 발간할 수 있도록 인도하신 하나님께 감사드립니다. 험한 소리로 가득한 세상에 이 책을 다릿돌처럼 놓습니다. 우리 삶은 말씀을 만난 소리로 풍성해져야 합니다. 주님을 만난 기쁨의 소리, 진실 앞에서 탄식하는 소리, 죄를 씻는 울음소리, 소망을 품은 기도 소리로 가득해야 합니다.

《가스펠 프로젝트》는 신구약을 관통하는 예수 그리스도의 복음을 발견하고, 그 가르침을 삶에 적용하는 지혜를 얻도록 기획한 성경 공부 교재입니다. 어린아이부터 어른에 이르기까지 생애주기에 따른 복음 메시지를 잘 배울 수 있습니다. 또한, 거짓 진리가 미혹하는 이 시대에 건강한 신학과 바른 교리로 말씀을 조명하여 성도의 신앙이 좌로나 우로나 치우치지 않도록 돕습니다.

두란노서원은 지금까지 "오직 성경, 복음 중심, 초교파적 관점"을 바탕으로 한국 교회와 성도를 꾸준히 섬겨 왔습니다. 오직 성경의 정신에 입각해 책과 잡지를 출판해 왔으며, 성경에 근거한 복음 중심의 신학을 포기한 적이 없습니다. 그리고 교단과 교파를 초월하여 교회와 성도가 하나님 나라를 바라볼 수 있도록 돕기 위해 노력해 왔습니다. 《가스펠 프로젝트》는 두란노가 지켜 온 세 가지 가치를 충실하게 담은 책입니다.

성경은 구원을 위한 책이며, 구원사의 주인공은 예수 그리스도입니다. 창세기부터 요한계시록까지 오직 예수 그리스도의 복음만을 전하는 《가스펠 프로젝트》 성경 공부 교재를 통해 복음의 은혜와 진리를 깊이 경험하고, 복음 중심의 삶이 마음 판에 새겨지기를 바랍니다. 그리고 예수 그리스도 복음에 굳게 선 한 사람의 영향력이 가정과 교회와 사회에 흘러감으로써 거룩한 하나님 나라가 확산되어 가기를 소망합니다.

감수사

김병훈
합동신학대학원대학교
조직신학 교수

두란노가 출간하는 《가스펠 프로젝트》는 무엇보다도 전통적으로 교회가 풀어 온 흐름을 충실히 따라 성경을 해설하고 있습니다. 그리고 그 방향은 궁극적으로 예수 그리스도를 향해 나아가고 있습니다. 이것은 예수님이 구약과 신약의 모든 성경이 자신을 가리키고 있다고 하신 말씀에 비추어 매우 타당한 것입니다. 게다가 그리스도 중심적 해설을 무리하게 전개하지 않습니다. 각 본문에서 하나님의 구원 언약과 그것을 실현하시는 하나님을 드러내면서, 그리스도의 예표적 설명이 가능한 사건을 놓치지 않고 풀어내고 있습니다.

성경 공부 교재는 명시적으로 혹은 암시적으로 제시하는 교리적 진술이 교리 체계상 건전해야 합니다. 《가스펠 프로젝트》는 99개 조에 이르는 핵심 교리를 일목요연하게 제시하여 교리의 건전성을 확인할 수 있도록 도움을 줍니다. 《가스펠 프로젝트》의 교리는 교파를 막론하고, 예수 그리스도의 복음에 충실한 복음주의 교회들에게 환영받을 만합니다. 물론 교파마다 약간의 이견을 갖는 부분들이 있을 수 있겠지만, 각 교회에서 교재를 활용하는 데에 무리가 없을 것입니다. 《가스펠 프로젝트》의 특징은 각 과에서 학습한 내용을 핵심 교리와 연결해 주며, 그 결과 그리스도의 복음에 관련한 교리적 이해를 강화시킨다는 데에 있습니다.

끝으로 《가스펠 프로젝트》는 어떤 성경 주해서나 교리 학습서가 갖지 못하는 훌륭한 장점을 가지고 있습니다. 그것은 학습자를 하나님과 그리스도의 복음 앞으로 이끌며, 자신의 신앙과 삶을 돌아보도록 하는 적용의 적실성과 훈련의 효과입니다. 아울러 본문과 관련한 교회사적으로 또 주석적으로 중요한 신학자와 목사의 어록을 제시하고, 심화 토론을 위한 질문을 달아 주고, 선교적 안목을 열어 주는 적용 질문들을 더해 준 것은 《가스펠 프로젝트》에서 얻을 수 있는 커다란 유익입니다.

추천할 만한 마땅한 성경 공부 교재를 찾기가 쉽지 않은 현실에서 《가스펠 프로젝트》는 성경을 개괄적으로 매주 한 과씩 3년의 기간 동안 일목요연하게, 그리고 그리스도 중심적으로 공부하도록 이끌어 준다는 점에서, 한국 교회의 기초를 성경 위에 놓는 일에 커다란 공헌을 할 것으로 믿어 의심치 않습니다.

류호성
서울장신대학교
신약학 교수

"내 백성이 지식이 없으므로 망하는도다 네가 지식을 버렸으니 나도 너를 버려 내 제사장이 되지 못하게 할 것이요 네가 네 하나님의 율법을 잊었으니 나도 네 자녀들을 잊어버리리라"(호 4:6). 이 예언대로, 하나님의 말씀에 귀 기울이지 않던 이스라엘 백성은 멸망했습니다(렘 29:15~20). 그러나 그 자체에 능력이 있는(눅 1:37) 하나님의 말씀이 임하는 곳이라면 죽은 뼈에 힘줄이 생기고 살이 오르는(겔 37:8) 회복의 역사가 임할 것입니다. 그분의 말씀은 살아 있고 활력이 있기에 예리하게 혼과 영과 및 관절과 골수를 찔러 쪼개기까지 하며 또 마음의 생각과 뜻을 판단할 것입니다(히 4:12). 하나님의 말씀이 왕성하게 흘러넘쳐 온 세상과 우주를 적실 때에 정의와 사랑(렘 9:24) 그리고 제자의 수가 많아지는 놀라운 부흥을(행 6:7) 경험할 것이고, 악한 세력이 모두 물러가며 새 하늘과 새 땅이 다가올 것입니다.

이를 위해 작은 등불의 역할을 할 《가스펠 프로젝트》는 다음과 같은 특징이 있습니다. 첫째는 성경 전체를 '그리스도 중심'으로 바라본 것입니다. 오실 그리스도(구약)와 오신 그리스도 그리고 앞으로 다시 오실 그리스도(신약)의 관점에서 구약성경과 신약성경을 서로 연결했습니다. 그래서 구약성경을 단지 유대 민족의 역사서로 보는 편협함에서 벗어나, 그 속에 담긴 놀라운 하나님의 구원 역사를 보게 합니다. 둘째는 같은 본문으로 교회와 가정 그리고 전 연령층에서 그리스도의 사랑을 배우게 합니다. 이는 특히 가정에서 부모와 자녀가 서로 신앙적으로 소통할 기회를 제공하고 사랑과 정의를 실천하는 성숙한 그리스도인으로 성장하도록 이끌어 줍니다. 셋째는 신학적 주제와 기초 교리를 이해하기 쉽게 설명한 것입니다. 그래서 사이비 이단이 번져 가는 상황에서 매우 중요한 영적 분별력을 향상시키는 데 도움을 줍니다. 넷째는 배운 것을 복음의 씨앗을 뿌리는 선교와 연결하며 하나님이 주신 사명을 실천하도록 이끄는 것입니다. 이는 복음의 열정을 회복시켜 줍니다.

그러므로 모든 교단과 교파를 초월해서, 하나님의 섬세한 구원의 손길과 그리스도의 숭고한 십자가의 사랑 그리고 거룩함으로 인도하는 성령님의 인도하심을 배울 수 있을 것입니다. 그래서 《가스펠 프로젝트》를 통해 하나님의 말씀이 한반도에 흘러넘칠 뿐만 아니라, 복음의 열정을 품고 전 세계로 향하는 많은 전도자를 세워 갈 것입니다.

정희영

총신대학교
유아교육과 교수

《가스펠 프로젝트》 유치부 교재는 유아의 특성에 맞게 그림과 활동으로 구성되어 있으며, '이야기 나누기'를 통해 성경 이야기를 복습함으로써 성경에 대한 이해와 기억을 돕고 있습니다. 교사용 교재는 교사가 성경 이야기를 쉽게 설명할 수 있도록 '가스펠 준비', '가스펠 설교', '가스펠 소그룹'의 단계로 나누어 진행 방법을 소개하고 있습니다. 특별히 성경 이야기를 나누기 전에 '본문 속으로'를 통해 교사들이 아이들에게 가르쳐야 하는 성경의 내용을 이해하고 숙지하도록 중요한 부분을 설명해 주고, '티칭 포인트'에서 다시 한 번 핵심이 무엇인지 강조해 줍니다. 또한 홈페이지에서 '교사 지도 가이드' 영상을 제공하여 영상 세대 교사들이 쉽고 친근한 자료로 교사 교육의 시공간적 한계를 극복하도록 도움을 주고 있습니다.

이러한 교재의 구성은 유아의 발달 특징을 잘 고려한 것이며, 성경을 잘 모르는 교사들도 성경 이야기를 왜곡되지 않게 잘 이해해 아이들에게 효율적으로 나눌 수 있게 했다는 특징을 지닙니다. 이는 다른 성경 공부 교재들과 차별되는 특징으로서 《가스펠 프로젝트》가 좋은 성경 공부 교재임을 보여 줍니다.

대부분의 유치부 성경 공부 교재가 성경의 사건을 이야기 중심으로 가르치는 반면, 《가스펠 프로젝트》는 사건의 흐름에 맞추어 성경의 핵심 교리를 가르치되 유아의 발달 상황을 고려해 구성했습니다. 유아들에게 교리는 어렵다는 생각에서 탈피해 그들의 영성을 고려해 내용을 구성한 점은 《가스펠 프로젝트》의 장점이라고 할 수 있습니다.

《가스펠 프로젝트》의 또 다른 장점은 '가스펠 설교'를 마무리할 때 예수 그리스도께 초점을 맞추고 있다는 점입니다. 구약은 오실 예수 그리스도에 대한 예표요, 신약은 오신 예수 그리스도에 대한 사건을 기록하고 있다는 점에서 예수 그리스도께서 성경의 주인이심을 잘 표현하고 있습니다.

현재 우리나라의 출산율은 OECD 국가 가운데 최하위를 차지하고 있으며, 교회의 주일학교는 반 이상이 줄어든 상황입니다. 이러한 위기 속에서 언약 백성으로 다음 세대를 잘 양육해야 할 책임이 있는 교회와 그리스도인 부모, 교사들에게 《가스펠 프로젝트》는 이 시대에 부응하는 효율적이며 영향력 있는 좋은 성경 공부 교재가 될 것입니다.

《가스펠 프로젝트》는 한 영혼, 한 영혼을 향한 하나님의 멈추지 않는 사랑을 전하며, 아들을 내어 주신 아버지 하나님의 놀라운 구원 계획에 눈뜨게 하는 교재입니다. 성경을 꿰뚫는 변함없는 메시지, 예수 그리스도를 만날 수 있는 교재입니다. 유익한 활동과 흥미로운 반복 학습을 통해 기독교 핵심 주제를 접하고, 말씀을 가까이하며 가족과 묵상을 나누도록 이끄는 방식에 기대가 큽니다. 다양한 소재의 동영상과 그림 자료는 시청각 자료가 부족한 교육 현장에 큰 활력을 불어넣어 줄 것입니다. 교재 내용에 맞게 창작된 찬양은 곡조가 있는 산 기도를 체험하게 도와줄 것입니다. 무미건조한 습관적 예배, 아이들과 소통하지 못해 안타까워했던 부모와 교사, 다음 세대를 걱정하는 교회 지도자들에게 이 교재를 추천합니다.

김요셉 _ 중앙기독학교 교목, 원천침례교회 목사

추천사

우리 시대의 전 세계적 교회 부흥은 두 가지 샘을 갖고 있습니다. 한 샘은 오순절 부흥 운동의 샘입니다. 이 샘으로 많은 시대의 목마른 영혼들이 목마름을 해갈했습니다. 또 하나의 샘은 성경 연구의 샘입니다. 남침례교 주일학교 운동은 이 샘의 개척자입니다. 이 샘으로 지금도 많은 성도가 목마름을 해갈하고 있습니다. 미국 남침례교 라이프웨이 출판사는 이러한 사역을 충실히 감당해 왔습니다. 《가스펠 프로젝트》는 모든 필요를 공급하는 원천이 될 것입니다. 《가스펠 프로젝트》는 쉬우면서도 결코 피상적이지 않습니다. 믿음의 단계를 따라 하나님의 자녀들에게 꼭 필요한 복음의 진수를 맛보게 해 줄 것입니다.

이동원 _ 지구촌교회 원로 목사, 지구촌 미니스트리 네트워크 대표

《가스펠 프로젝트》는 예수 그리스도를 중심으로 성경을 배웁니다. 성경이 어떻게 그리스도와 연결되어 있는지, 또 성도의 삶이 하나님의 구원 계획에 어떻게 연결되어야 하는지 구체적으로 제시합니다. 특히 《가스펠 프로젝트》는 하나의 본문으로 각 연령에 맞게 구성한 교재를 제공하여 하나의 본문으로 전 세대를 연결하고, 가정과 교회를 하나 되게 합니다. 신앙의 전수가 중요한 시대에 성도와 교회와 가정이 한마음으로 다음 세대를 준비시키기에 적합합니다. 특히 가정에서 부모가 자녀와 말씀으로 대화를 나눌 수 있게 하여 자녀 신앙 교육에 도움이 될 것입니다.

이재훈 _ 온누리교회 담임 목사

《가스펠 프로젝트》를 펼치는 순간 가슴이 뛰었습니다. 이 시대를 살아가는 모든 그리스도인에게 꼭 필요한 성경의 핵심적 내용을 쉬우면서도 흥미로운 설명으로 펼쳐 내면서 성경을 깊이 알아 가는 기쁨과 구체적인 적용을 돕고 있기 때문입니다. 무엇보다도 가장 뛰어난 점은, 성경의 중심이 되는 예수님을 충실하게 드러낸다는 점입니다. 그러므로 복음 프로젝트를 성실하게 따라가다 보면 예수님을 통해 완성하시는 하나님의 구원 역사 프로젝트가 드러날 것이고, 나아가 하나님 나라가 우리 삶에 한층 가까워질 것입니다. 이 시리즈를 통해 체계적인 '가정 제자 훈련'과 '성경 공부'를 정착시키는 가운데 한국 교회와 이민 교회에 거룩한 부흥의 불길이 일어나기를 기대합니다.

류응렬 _ 와싱톤중앙장로교회 담임 목사, 고든콘웰신학대학원 객원 교수

《가스펠 프로젝트》 유치부 교재는 유아에게 성경을 좀 더 효과적으로 가르칠 수 있도록 돕는 교재입니다. 성경 전체에서 끊임없이 말하고 있는 '예수 그리스도'를 유아기에 꼭 맞는 교수 방법으로 소개해 유아에게 예수님과의 행복한 만남을 선물할 것입니다. 또한 《가스펠 프로젝트》는 가정과의 연계 교육이 매우 중요한 유아기에 부모와 긴밀하게 상호 작용할 수 있도록 구성되어 있습니다. 전 연령에 맞는 교재가 구비되어 있기 때문에 모든 가족, 더 나아가 모든 교회의 구성원이 같은 말씀으로 대화를 나눌 수 있습니다. 이 교재를 통해 다음 세대가 인생에 꼭 필요한 '예수 그리스도의 복음'의 토대 위에서 은혜 안에 자라 가기를 바랍니다.

이영희 _ 카도쉬비전센터 이스라엘교육연구원 대표, 《토라 태교》 저자

두란노서원은 오랫동안 어린이용 성경 큐티 자료집의 발간을 통해 어린이들이 가정에서 부모와 함께 성경을 읽고 묵상할 수 있는 주요한 사역을 감당해 왔습니다. 이제 두란노서원의 《가스펠 프로젝트》의 발간으로 아이들이 교회에서는 교회학교 교사와, 가정에서는 부모와 성경을 공부해 복음적 삶의 변화를 가져올 수 있게 됨을 축하합니다. 《가스펠 프로젝트》는 교회학교 교사가 아이들에게 말씀을 효과적으로 가르칠 수 있는 교수 매체로서, 아이들과 함께 다양한 놀이 및 활동을 할 수 있도록 안내합니다. 유치부가 사용할 교재의 삽화는 성경의 주요 본문에 가까워 성경의 본문 내용을 이해하도록 하는 데 도움을 줍니다. 또한 활동 자료는 아이들의 발달 수준에 적절합니다. 《가스펠 프로젝트》를 사용하는 교회학교 교사, 부모, 아이들이 예수 그리스도를 배우고 본받아 하나님이 주신 사명을 실천할 수 있기를 바랍니다.

장화선 _ 안양대학교 기독교교육과 교수

1 단원

비유로 말씀하신 예수님

예수님은 사람들에게 비유를 들려주셨습니다. 예수님의 비유는 하나님이 어떤 분이신지, 예수님이 다스리시는 하나님 나라에서 사는 것이 어떤 모습일지 알려 줍니다. 예수님이 이 땅에 다시 오셔서 모든 것을 완성하시는 날, 이 이야기들은 우리의 현실이 될 것입니다.

씨 뿌리는 농부 비유

용서할 줄 모르는 종 비유

선한 사마리아인 비유

악한 농부 비유

바리새인과 세리
비유

3가지 비유

카운트다운

래프팅

DVD 카운트다운 영상(**지도자용 팩**)은 예배 대형으로 모이거나 대형을 바꾸며 준비할 시간을 알리는 데 활용한다. 익숙해질 때까지 중간에 남은 시간을 알리는 것도 좋다.
예) "1분 전입니다", "30초 전입니다. 마음을 가다듬고 기도하며 하나님께 나아갑시다" 등.

단원 암송

예수께서 나오사 큰 무리를 보시고 그 목자 없는 양 같음으로 인하여 불쌍히 여기사 이에 여러 가지로 가르치시더라(막 6:34).

마가복음 6:34

원곡 : 스와니강(미국 민요)

작곡 : 스티븐 포스터
편곡 : 김효정

1

씨 뿌리는 농부 비유

(마 13:1~9, 18~23)

주제 예수님은 복음을 듣는 모든 사람이 예수님을 믿는 것은 아니라고 가르치셨어요.

예수님 생각하기 예수님의 이야기를 듣는 사람이 모두 예수님을 믿는 것은 아니에요. 어떤 사람은 예수님을 이해하지 못하고, 어떤 사람은 예수님이 없어도 행복하다고 생각해요. 예수님에 관한 좋은 소식을 '복음'이라고 해요. 복음을 듣고 예수님을 믿는 사람은 복을 받아요.

단원 암송 막 6:34

성경의 초점 예수님은 왜 이야기를 들려주셨나요?
하나님과 하나님 나라에 대해 가르치시기 위해서예요.

본문 속으로

복음서에는 예수님이 들려주신 비유가 많이 기록되어 있습니다. 이 비유들은 사람들이 하나님 나라를 잘 이해하도록 예수님이 들려주신 이야기입니다. 각 비유는 교훈을 주고, 깨달을 수 있는 사람들에게는 하나님 나라의 비밀도 알려 줍니다(마 13:10~13 참조).

당시 사람들은 씨를 뿌리거나 심는 일에 익숙했기 때문에 씨 뿌리는 농부 비유는 듣는 이들의 공감을 샀을 것입니다. 하지만 여기에는 더 깊은 의미가 있었습니다. 이 비유는 하나님의 말씀과 그 말씀을 듣는 자들의 반응에 대한 교훈이었습니다.

비유에서 농부가 뿌린 씨는 각기 다른 곳에 떨어졌습니다. 어떤 씨는 길가에 떨어져 새들에게 먹혔습니다. 어떤 씨는 돌밭에 떨어졌습니다. 하지만 뿌리가 없어 뙤약볕 아래에서 말라 버렸습니다. 어떤 씨는 가시떨기(가시덤불) 사이에 떨어져 제대로 자라지 못했습니다. 좋은 땅에 떨어진 씨는 100배, 60배, 혹은 30배가 되는 열매를 맺었습니다.

예수님은 비유를 마치신 후 제자들에게 이 이야기의 뜻을 설명해 주셨습니다. 땅은 사람들의 마음을 나타내고, 씨는 하나님 나라에 대한 말씀을 의미합니다.

마음이 딱딱한 사람은 하나님에 대한 좋은 소식을 듣고도 깨닫지 못하거나 거부합니다. 돌밭과 같은 마음을 가진 사람은 진리를 받아들이는 데는 빠르지만, 인생이 힘들어지면 곧 넘어지고 맙니다. 가시덤불과 같은 마음을 가진 사람은 하나님에 대한 좋은 소식보다 이 세상의 일에 더 관심이 많아 말씀이 자라날 수 없습니다. 좋은 땅과 같은 마음을 가진 사람은 하나님에 대한 좋은 소식을 듣고 받아들입니다. 그리고 처음 심은 것보다 많은 열매를 맺습니다. 성도의 삶에는 성령의 열매(갈 5:22~23 참조)가 뚜렷이 나타나기 마련입니다.

●● 티칭 포인트

오늘날에도 사람들은 다양한 모습으로 복음에 반응합니다. 씨 뿌리는 농부 비유를 가르칠 때 여러분이 지도하는 아이들을 위해 기도하십시오. 하나님이 아이들에게 말씀을 받아들이는 마음을 주셔서 예수님에 대한 좋은 소식을 듣고 이해하고 변화되게 해 달라고 말입니다.

이야기 성경

씨 뿌리는 농부 비유

마 13:1~9, 18~23

하나님은 사람들을 죄에서 구하시려고 예수님을 보내셨어요. 예수님은 또한 사람들에게 하나님과 하나님 나라에 대해 가르치려고 오셨어요. 예수님은 여러 마을과 도시를 다니며 하나님 나라에 관한 좋은 소식을 전하셨어요. 예수님의 말씀을 들으려고 사람들이 구름같이 몰려왔어요.

어느 날, 예수님이 바닷가에 앉아 계실 때였어요. 많은 사람이 말씀을 들으려고 찾아왔어요. 그래서 예수님은 배를 타고 가르치셨어요. 예수님은 다른 사람에게 하나님과 하나님 나라에 관한 좋은 소식을 전하는 일을 비유로 들려주셨어요. 비유란 어떤 내용을 직접적으로 설명하지 않고 비슷한 상황이나 사물에 빗대어 이야기하는 거예요. 쉽게 이해하도록요!

예수님이 말씀하셨어요. "이 이야기를 생각해 보아라. 한 농부가 땅에 씨를 뿌리러 나갔다. 농부는 여기저기 씨를 뿌렸다. 어떤 씨는 길가에 떨어졌다. 곧 새들이 와서 주워 먹어 버렸다. 그 씨는 자라지 못했다. 다른 씨는 흙이 많지 않은 돌밭에 떨어졌다. 그 씨는 싹이 빨리 났지만, 흙이 얕아서 뿌리를 내리지 못했다. 해가 나자 식물은 말라 죽어 버렸다. 또 어떤 씨는 가시덤불 위에 떨어졌다. 가시가 자라서 씨앗이 자라는 것을 방해했다.

하지만 어떤 씨는 좋은 땅에 떨어졌다. 그 씨는 씩씩하고 튼튼하게 자라서 원래 심은 것보다 많은 열매를 맺었다."

그런 다음 예수님은 제자들에게 비유의 뜻을 설명해 주셨어요. "길가에 떨어진 씨를 기억하느냐? 어떤 사람들은 하나님 나라에 관한 진리를 들어도 깨닫지 못할 것이다. 하나님의 원수가 와서 그들이 들은 진리를 가져가 버리기 때문이다. 돌밭에 떨어진 씨를 기억하느냐? 어떤 사람들은 하나님 나라에 관한 진리를 듣고 기쁘게 받아들인다. 그러나 어려움이 닥치면 더 이상 믿지 않는다. 가시덤불에 떨어진 씨를 기억하느냐? 어떤 사람들은 하나님 나라에 관한 진리를 듣지만, 세상 걱정이 너무 많거나 돈을 너무 사랑한다. 그래서 진리가 자라지 못한다.

하지만 어떤 사람들은 하나님 나라에 관한 진리를 듣고 깨닫는다. 그들은 진리를 믿고, 진리는 그들의 삶을 바꾼다. 이런 사람들은 좋은 땅에 떨어진 씨와 같다."

●● 예수님 생각하기

예수님의 이야기를 듣는 사람이 모두 예수님을 믿는 것은 아니에요. 어떤 사람은 예수님을 이해하지 못하고, 어떤 사람은 예수님이 없어도 행복하다고 생각해요. 예수님에 관한 좋은 소식을 '복음'이라고 해요. 복음을 듣고 예수님을 믿는 사람은 복을 받아요.

가스펠 준비

싱글벙글 환영해요

DVD "하나님 나라는"(지도자용 팩)을 튼다. 아이들을 반갑게 맞이하며 헌금과 기도를 도와준다. 예배 중 헌금 순서가 있다면 아이들이 헌금을 잘 간수하도록 돕는다. 가방과 외투를 정리하도록 안내한다. 새로 온 아이가 있다면 음수대와 화장실의 위치를 알려 주고, 보호자와 만나는 시간과 방법 등을 소개한다. 보호자들을 위한 안내문을 붙여 아이와 만나는 시간, 기다리는 장소, 헌금 방법, 아이에 대한 특별한 주의 사항을 교사에게 미리 알려 달라는 당부 등을 공지한다.

너랑 나랑 마음 열기

주제와 관련 있는 퍼즐이나 블록 등 아이들이 좋아하는 장난감을 몇 가지 비치해 두고 다양한 활동을 하며 예배를 준비하거나 예배 장소 및 친구들과 익숙해지도록 돕는다. 아이들이 마음을 열고 오늘의 주제에 관심을 갖게 하며 예배에 집중할 수 있도록 도와준다. 교회 형편에 맞게 시간과 활동 방법을 조절한다.

배에 앉아 이야기를 해요 *

준비물 ▶ 마스킹 테이프

❶ 마스킹 테이프로 바닥에 배 모양을 그려 둔다.

❷ 아이들에게 배에 타서 이야기를 들어 보자고 말한 뒤, 인도자의 어린 시절 이야기를 해 준다. 어렸을 때 봤던 세상 이야기, 예수님을 처음 만나고 믿게 된 이야기, 중요한 교훈을 배운 이야기, 하고 싶은 일을 발견하고 그 일을 하는 법을 배운 이야기 등을 들려준다.

인도자 우리는 몇 주에 걸쳐 예수님이 들려주신 이야기를 배울 거예요. 예수님은 사람들에게 하나님과 하나님 나라에 대해 가르쳐 주려고 많은 이야기를 들려주셨어요. 예수님은 배에 타서 들려주기도 하셨고, 바닷가에서도 들려주셨어요. 오늘의 성경 이야기에서 예수님은 어떤 이야기를 들려주셨을까요? 함께 알아보도록 해요.

씨앗을 심어요 *

준비물 ▶ 갈색 도화지, 가위

❶ 가위를 이용해 갈색 도화지로 '씨앗' 모양을 많이 만들어 둔다.

❷ 아이들에게 '씨앗'을 한 줌씩 나누어 준다. 인도자가 "씨앗을 심으세요"라고 말하면 예배실 곳곳에 '씨앗'을 뿌려 심어 보라고 한다. 인도자가 "씨앗을 거두세요"라고 말하면 아이들이 '씨앗'을 줍게 한다.

tip 아이들이 '씨앗'을 모두 거두도록 지도해 다음 활동이 원활히 진행될 수 있도록 한다.

인도자 오늘의 성경 이야기에서 예수님은 땅에 씨앗을 뿌리러 나간 농부의 이야기를 들려 주셨어요. 농부는 여기저기 씨앗을 뿌렸어요. 어떤 씨앗은 좋은 땅에 떨어져 잘 자랐지만, 어떤 씨앗들은 그렇지 않았어요. 이 이야기는 어떤 하나님 나라의 이야기일지 잘 들어 보아요.

농사나 정원 가꾸기에 관한 책을 보아요 *

준비물 ▶ 농사나 정원 가꾸기에 관한 다양한 책

❶ 농사나 정원 가꾸기에 관한 다양한 책을 준비해 아이들이 훑어볼 수 있도록 지도한다.

tip 유아 도서가 아니더라도 아이들이 흥미를 가지고 볼 만한 그림이나 사진 자료가 충분하다면 제시해도 좋다. 책을 구하기 어려울 경우 지역 도서관을 이용한다.

인도자 씨를 뿌려 식물을 키워 본 적이 있나요? 오늘의 성경 이야기에서 예수님은 씨를 뿌리는 농부 이야기를 들려 주셨어요. 예수님은 농부 이야기를 통해서 사람들에게 하나님 나라에 관한 좋은 소식을 전하는 일에 대해 가르쳐 주셨어요. 어떤 이야기일지 잘 들어 보아요.

예배 대형으로 모이기

- 카운트다운 영상, 모이기 노래 등을 활용해 예배 대형으로 바꾸고 마음을 준비하게 한다.
- 공간을 이동해야 한다면 농부가 씨를 뿌리는 흉내를 내며 가도록 한다.

가스펠 설교

하나 — 들어가기

준비물 ▶ 여러 가지 씨앗

여러 가지 씨앗을 늘어놓고 아이들에게 관찰할 시간을 준다.

예수님은 비유로 이야기를 들려주셨어요. '비유'란 어떤 내용을 직접적으로 설명하지 않고 비슷한 상황이나 사물에 빗대어 이야기하는 거예요. 쉽게 이해하도록요! 예수님은 사람들이 하나님 나라가 어떤 곳인지 잘 이해할 수 있도록 여러 가지 이야기로 가르쳐 주셨어요. 오늘의 성경 이야기에서 예수님이 들려주신 이야기는 씨앗과 땅에 관한 거예요. 이야기 속 씨앗들에게 과연 어떤 일이 일어났는지 귀를 쫑긋 세우고 들어 보기로 해요.

둘 — 성경 이야기

DVD 마태복음 13장을 편다. 설교 영상(지도자용 팩)을 보여 주거나 이야기 성경을 들려준다.

성경은 이 세상에서 가장 위대한 책이에요. 하나님의 말씀을 그대로 담은 책은 성경뿐이기 때문이에요! 오늘의 성경 이야기는 신약성경 중에 '마태복음'에 나온답니다.

셋 — 메시지와 정리

예수님은 모든 사람이 예수님을 믿는 것은 아니라고 가르치셨어요. 어떤 사람은 예수님이 자기를 얼마나 사랑하시는지 깨닫지 못해요. 또 어떤 사람은 예수님의 사랑을 믿지만 힘든 일이 생기면 예수님을 떠나요. 또 다른 사람은 예수님보다 세상의 것을 더 좋아해요. 하지만 어떤 사람은 예수님에 관한 진리를 믿고 예수님을 따라요. 여러분은 어떤 사람이 되고 싶나요? 맞아요! 마지막 사람이에요.

DVD '가스펠 프로젝트_하나님의 구원 계획' 영상(지도자용 팩)을 보여 주고 오늘의 성경 이야기도 하나님의 거대한 구원 계획의 한 부분에 속하는 이야기임을 상기시킨다. 연대표(지도자용 팩)를 가리키면서 복습 질문을 한다.

1. 예수님이 사람들에게 하나님 나라에 대해 쉽게 가르치기 위해 들려주신 이야기 방식을 무엇이라고 하나요? 비유
2. 예수님이 들려주신 이야기에는 몇 종류의 땅이 나오나요? 4종류

3. 예수님은 비유의 진짜 뜻을 누구에게 알려 주셨나요? 제자들
4. 이야기에 나오는 씨앗은 무엇을 가리키나요? 하나님 나라에 대한 좋은 소식
5. 이야기에 나오는 땅은 무엇을 가리키나요? 사람들의 마음

넷 — 성경의 초점

1단원의 '성경의 초점'은 **"예수님은 왜 이야기를 들려주셨나요?", "하나님과 하나님 나라에 대해 가르치시기 위해서예요"**랍니다. 하나님 나라에서 사는 것은 이 땅에서 사는 것과 달라요. 예수님은 우리가 이미 알고 있는, 이 땅에서 씨를 뿌리고 그 씨가 자라는 것에 관한 이야기를 들려주심으로써 우리가 모르는 하나님 나라에 관한 것들을 설명해 주셨어요.

다섯 — 복음 초청

아이들에게 '복음'이라는 말을 들어 본 적이 있는지 물어본다.

'복음'이라는 말을 들어 본 적이 있나요? 복음이란 '좋은 소식'이라는 뜻이에요. 우리에게 보내신 하나님의 좋은 소식이 무엇일까요?

성경과 48쪽 복음 초청 가이드를 이용해서 아이들에게 그리스도인이 되는 법을 설명해 준다. 따로 상담해 줄 사람을 정해 주고 궁금한 점이 있으면 물어보도록 격려한다.

이 시간 예수님을 믿고 마음에 모시고 싶은 친구는 함께 기도해요.

여섯 — 기도

하나님의 말씀을 믿고 깨달아 아름다운 열매를 맺는 사람이 되고 싶어요. 언제나 하나님의 말씀에 순종하며 기쁘고 평안하게 살아갈 수 있도록 도와주세요. 예수님의 이름으로 기도합니다. 아멘.

일곱 — 암송송

성경에서 마가복음 6장 34절을 펴고 큰 소리로 여러 번 따라 읽게 한다.

1단원 암송 구절은 예수님이 사람들을 보고 불쌍히 여기셨다고 말해요. 예수님은 그들을 돕고 싶어서 하나님과 하나님 나라에 대해 가르치셨어요.

암송송(162쪽)에 맞추어 손유희를 하며 말씀을 익힌다.

"예수께서 나오사 큰 무리를 보시고 그 목자 없는 양 같음으로 인하여 불쌍히 여기사 이에 여러 가지로 가르치시더라"(막 6:34).

알콩달콩 말씀 놀이

말씀 씨앗이 무럭무럭 자라나요

준비물 ▶ 유치부 교재 4쪽, 45쪽 '씨앗' 스티커, 색연필

이야기 나누기
- 씨앗이 잘 자란 밭은 어떤 밭인가요?
- 좋은 밭은 어떤 마음을 의미하나요?
- 하나님의 말씀을 듣고 깨달은 사람은 어떤 열매를 맺을까요?

❶ 길가, 돌밭, 가시덤불, 좋은 땅 등 4종류의 땅에서 **보기** 의 식물이 각각 몇 개씩 자랐는지 세어 빈칸에 숫자를 적어 보라고 한다.

❷ '내 마음 밭'을 '좋은 땅'으로 색칠한 뒤, 땅속에 유치부 교재 45쪽 '씨앗' 스티커를 떼어 붙이고, 씨앗이 무럭무럭 자라나 열매를 맺은 모습을 그려 보도록 지도한다.

인도자 좋은 땅에서는 씨앗이 잘 자라 많은 열매를 맺었어요. 길가, 돌밭, 가시덤불에서는 잘 자랄 수 없었지요. 예수님에 관한 좋은 소식, 즉 복음이 사람들의 마음 밭에 뿌려질 때도 마찬가지예요. 어떤 사람은 예수님을 이해하지 못하고, 어떤 사람은 예수님이 없어도 행복하다고 생각해요. **예수님은 복음을 듣는 모든 사람이 예수님을 믿는 것은 아니라고 가르치셨어요.** 하지만 복음을 듣고 예수님을 믿는 사람은 많은 열매를 맺으며 살아요.

좋은 소식을 전해요*

❶ 아이들을 마주 보고 둥글게 앉게 한다.

❷ 한 아이를 지명해 좋은 소식을 알려 주고, 옆 친구에게 좋은 소식을 귓속말로 전하라고 한다. 같은 활동을 반복하도록 지도한다.

예) "예수님이 너를 사랑하셔", "예수님이 사람들을 죄에서 구원하셨어", "하나님이 우리를 구하려고 예수님을 보내셨어" 등.

❸ 좋은 소식이 마지막 아이에게 전달되면 인도자가 처음 전달한 좋은 소식과 일치되는지 확인해 본다. 다르다면 좋은 소식을 정확하게 알려 준다.

❹ 시간 여유가 있다면 다른 좋은 소식을 전하면서 게임을 반복한다.

인도자 우리는 옆 친구에게 좋은 소식을 귓속말로 전해 주었어요. 하지만 어떤 아이는 친구가 전해 주는 말을 쉽게 알아듣지 못했어요. 예수님에 관한 소식도 마찬가지예요. **예수님은 복음을 듣는 모든 사람이 예수님을 믿는 것은 아니라고 가르치셨어요.** 어떤 사람은 예수님을 이해하지 못하고, 어떤 사람은 예수님이 없어도 행복하다고 생각해요. 하지만 복음, 다른 말로 하면 '예수님에 관한 좋은 소식'을 듣고 예수님을 믿는 사람은 복을 받아요.

'씨 뿌리는 농부' 책을 만들어요 *

준비물 ▶ 166쪽 '4종류의 땅' 그림, 색연필, 안전 가위, 셀로판테이프, 스테이플러, 스테이플러 심

❶ 166쪽 '4종류의 땅' 그림(또는 지도자용 팩)을 복사해 아이들의 수만큼 준비한 후 한 장씩 나누어 주고 색연필을 이용해 색칠하게 한다.

❷ 아이들이 안전 가위를 이용해 선을 따라 잘라 카드를 만들 수 있도록 지도하고, 그림을 하나하나 살펴보면서 어떤 내용인지 이야기를 나누어 본다. '길가에 떨어진 씨', '돌밭에 떨어진 씨', '가시덤불에 떨어진 씨', '좋은 땅에 떨어진 씨' 그림이라고 말해 준다.

❸ 아이들에게 차례로 모은 4장의 카드 위에 겉표지를, 아래에 뒤표지를 덮고 오른쪽 끝을 두 손으로 꼭 눌러 잡으라고 한다.

❹ 왼쪽에 스테이플러를 찍고, 아이들의 손이 다치지 않도록 스테이플러 심지 부분에 셀로판테이프를 붙여 '네 종류의 땅' 책을 만들어 아이들에게 돌려준다.

인도자 4종류의 땅은 4가지 마음을 가리켜요. **예수님은 복음을 듣는 모든 사람이 예수님을 믿는 것은 아니라고 가르치셨어요.** 어떤 사람은 예수님을 이해하지 못하고, 어떤 사람은 예수님이 없어도 행복하다고 생각해요. 우리에게 좋은 땅과 같은 마음을 달라고 예수님께 기도해요. 예수님에 관한 좋은 소식인 복음을 깨닫고 믿어서 그 소식이 우리를 새사람으로 바꾸어 주도록 말이에요.

씨앗을 심어요 *

준비물 ▶ 화분, 씨앗, 유아용 호미, 흙, 분무기, 일회용 비닐 식탁보, 네임펜

❶ 일회용 비닐 식탁보를 바닥에 깔고 아이들에게 화분과 호미를 나누어 준다.

tip 호미의 명칭과 사용법을 설명하고 안전하게 사용할 수 있도록 지도한다.

❷ 흙을 보여 주면서 아이들이 손으로 만지거나 냄새를 맡아 탐색할 수 있는 시간을 준다. 화분에 3분의 2가량 흙을 담아 보라고 한다.

❸ 심게 될 씨앗에 대해 소개하고 씨앗이 성장하면 어떻게 자랄지 설명해 준다.

❹ 아이들에게 호미로 흙 표면을 파 내어 홈을 만들고, 그 안에 씨앗을 넣고 흙으로 다시 덮어 주라고 한다.

❺ 씨앗이 자라서 어떻게 될지 기대하는 마음으로 분무기를 이용해 물을 주게 한다.

❻ 손을 씻고, 화분에 이름을 적어 상황에 따라 교회에 보관하거나 가정으로 가져가도록 지도한다.

인도자 우리는 좋은 흙에 씨앗을 심었기 때문에 씨앗이 튼튼한 식물로 잘 자랄 거예요. 예수님이 들려주신 비유에서 하나님 나라에 관한 진리를 듣고 믿는 사람은 좋은 땅에 떨어진 씨앗과 같아요. 복음을 듣고 예수님을 믿는 사람은 복을 받아요.

소곤소곤 꿀~꺽 간식

준비물 ▶ 초코 우유, 치아씨앗, 숟가락, 그릇

❶ 카운트다운 영상, 정리하기 노래 등을 활용해 활동이 끝났음을 알린다. 아이들에게 주변을 정리하게 하고, 화장실에 가거나 물티슈 등을 이용해 손을 씻을 시간을 준다.

❷ 감사 기도를 드리고 초코 우유와 치아씨앗을 간식으로 나누어 준다. 초코 우유에 치아씨앗을 넣고 숟가락으로 살살 저으면 우유가 걸쭉해져 푸딩같이 된다. 우리도 예수님의 말씀을 들으면 이처럼 깜짝 놀랄 변화가 일어난다고 말해 준다. 하지만 예수님은 복음을 듣는 모든 사람이 예수님을 믿는 것은 아니라고 가르치셨다는 것과 하나님 나라에 관한 진리를 듣고 믿는 사람은 이야기 속의 좋은 땅에 떨어진 씨앗과 같다고 다시 한 번 이야기해 준다. 우리도 씨 뿌리는 농부처럼 복음을 전할 수 있다고 격려한다.

❸ 간식을 먹은 후 마무리 정리를 잘하도록 지도한다.

오순도순 마무리

준비물 ▶ 유치부 교재 37쪽 메시지 카드, 소그룹 활동지, 펀치, 카드 고리, 파일

❶ 카드를 떼고 반으로 접은 뒤 펀치로 구멍을 뚫어 고리로 연결하게 한다.

가족과 활동해요

- 야생화 꽃씨를 들판에 뿌려 보세요. 어느 곳에서 씨가 가장 잘 자랄지 이야기를 나누어 보세요.
- 이웃과 함께 텃밭을 가꿔 텃밭에서 키운 작물을 이웃과 나누거나 지역의 무료 급식소에 기부하세요.

❷ 가방이나 지갑에 고리를 끼워 항상 휴대하면서 오늘 배운 성경 이야기를 수시로 기억하게 하고, 가족과도 함께 나눌 수 있도록 격려한다.

tip 한 주에 한 장씩 나누어도 좋고, 13과 메시지 카드를 모두 떼어 신약 2권의 메시지 카드철을 만들어도 좋다.

❸ 카드 뒷면의 나만의 기록장을 펴고 주어진 과제 또는 오늘 새롭게 알게 된 내용이나 기억에 남는 성경 이야기, 하나님께 하고 싶은 말 등을 기록해 보도록 한다.

tip 시간 여건에 맞게 교회나 가정에서 기록할 수 있도록 지도한다.

❹ 소그룹 활동지를 떼어 파일에 끼우고 가방에 정리하게 한다.

❺ 아이들의 기도 제목을 물어보고 기도로 마무리한다.

인도자 하나님, 우리에게 하나님의 아들, 예수님에 관한 좋은 소식인 복음을 들을 수 있는 마음을 주세요. 우리 모두 씨 뿌리는 농부처럼 예수님에 관한 좋은 소식인 '복음' 씨앗을 친구와 이웃에게 나눌 수 있도록 도와주세요. 예수님의 이름으로 기도합니다. 아멘.

❻ 아이를 데리러 온 부모에게 아이가 특별히 즐거워했거나 잘했던 활동들에 대해 이야기해 주고, 가정에서 성경 읽기와 가족 활동을 진행할 수 있도록 격려한다.

나만의 기록장

좋은 땅 그리기

주일학교 사역의 3가지 핵심 가치

주일학교 사역의 중심은 무엇일까요? 부서를 이끄는 리더는 어떤 기준으로 결정을 해 나가야 할까요?
아이들을 하나님의 나라로 인도하고 세상에 지속적인 영향을 미치는 그리스도인으로 성장시키는 건강한 주일학교 사역을 위해서 지향해야 할 3가지 핵심 가치를 소개합니다.

1. 마음을 변화시켜야 합니다

행동을 교정하는 것이 아니라 마음을 변화시켜야 합니다. 어린 영혼에게 행동 교정을 계속 요구하는 것은 그리스도 안에 있는 자유를 소개하는 것이 아니라 짐을 더 얹어 주는 것과 같습니다. 주일학교 사역에서 하는 모든 일의 중심에는 그리스도가 계셔야 합니다. 그리스도를 중심에 두면 그리스도께서 마음의 변화를 일으키실 것입니다.

2. 하나님의 나라를 확장해야 합니다

주일학교의 부흥이 아니라 하나님의 나라를 확장해야 합니다. 주일학교 사역은 궁극적으로 하나님의 나라를 확장하기 위한 것입니다. 각 교회의 부흥을 위한 것이 아닙니다. 계속해서 하나님 나라에 우리 사역의 초점을 두려면 '사람들이 원하는 것이 무엇인가'라는 근시안적 사고에 사로잡혀 전체를 보는 통찰력을 잃어버리지 않도록 조심해야 합니다. 우리의 시선을 오직 하나님께 고정해야 합니다.

3. 선한 영향력을 끼쳐야 합니다

문화를 주도적으로 이끄는 자리에 있어야 합니다. 문화에 끌려가서는 안 됩니다. 성경은 아이들이 그리스도께 초점을 맞추고 세상을 변화시키는 사람들이 되기를 요청합니다. 우리가 아이들에게 세상과 어울려 살아가도록 가르친다면 그들이 세상에서 그리스도를 위해 발휘할 수 있는 영향력은 목표에 한참 못 미치게 될 것입니다. 우리는 아이들이 세상을 향해 신속하고 비판적인 영향력을 미치기를 바랍니다. 마치 궁수가 정확한 판단과 솜씨로 과녁 한가운데를 명중시키듯이 말입니다.

라이프웨이 어린이 편집부(LifeWay Kids)

2

용서할 줄 모르는 종 비유

(마 18:21~35)

주제 　예수님은 하나님의 용서에 대해 가르치셨어요.

예수님 생각하기 　예수님은 이 땅에 오셔서 우리의 죄 때문에 십자가에서 죽으셨어요. 우리 대신 벌을 받으셨고, 우리가 갚아야 할 빚을 대신 갚으셨어요. 예수님을 믿으면 하나님이 우리의 죄를 용서하세요. 모든 죄를요! 하나님이 우리의 큰 죄를 용서해 주셨듯이 우리도 다른 사람을 용서할 수 있어요.

단원 암송 　막 6:34

성경의 초점 　예수님은 왜 이야기를 들려주셨나요?
하나님과 하나님 나라에 대해 가르치시기 위해서예요.

본문 속으로

예수님이 제자들을 가르치고 계실 때 베드로가 물었습니다. "주여 형제가 내게 죄를 범하면 몇 번이나 용서하여 주리이까?" 베드로는 7번을 제시했습니다. 당시 유대인은 3번 용서하는 것을 표준으로 삼고 있었기 때문에 아마 베드로는 자신이 엄청난 관용을 베풀고 있다고 생각했을 것입니다. 예수님은 용서할 줄 모르는 종의 이야기를 통해 베드로의 질문에 답하셨습니다.

비유에서 한 종이 자기 왕에게 1만 달란트를 빚졌습니다. 1달란트는 20년 치 품삯과 같으므로, 1만 달란트는 결코 갚을 수 없을 만큼 큰 빚을 의미합니다. 우리가 하나님이나 동료에게 죄를 지었을 때는 그 값을 산정할 수 없다는 의미이기도 합니다. 빚을 갚지 못해 감옥에 갇히게 된 종은 왕에게 돈 갚을 시간을 더 달라고 간청했습니다. 그런데 왕은 오히려 종을 감옥에서 풀어 주고 그의 빚을 없애 주었습니다.

왕에게 큰 은혜를 입은 종이 감옥에서 나와 자신에게 100일 치 품삯에 해당하는 100데나리온 빚진 동료를 만났습니다. 그 동료는 종에게 제발 시간을 더 달라고 간청했습니다. 하지만 종은 그의 간청을 거절하고 감옥에 가두어 버렸습니다.

이 이야기를 전해들은 왕은 엄청나게 큰 빚을 면제받은 종이 작은 빚을 진 사람을 불쌍히 여기지 않은 일에 화가 났습니다. 그래서 왕은 원래 빚을 다 갚을 때까지 종을 감옥에 가두어 버렸습니다. 예수님은 자기 형제를 용서하지 않는 사람에게 하나님도 왕과 똑같이 하실 것이라고 말씀하시면서 이야기를 맺으셨습니다.

비유 속의 왕은 하나님이고, 무자비한 종은 바로 우리입니다. 죄인인 우리는 하나님께 결코 갚을 수 없는 빚을 지고 있습니다. 우리는 죄 때문에 벌을 받아야 하는 자들이지만 성부 하나님은 아들이신 예수님을 보내셔서 우리 빚을 대신 갚으시는 사랑을 베푸셨습니다. 예수님은 우리가 결코 할 수 없는 완벽한 삶을 사셨고, 마땅히 죽어야 할 우리를 대신해 죽으셨습니다. 우리는 믿음의 빈손 외에는 하나님께 드릴 것이 아무것도 없습니다. 오직 예수님을 믿음으로 죄를 완전히 용서받을 뿐입니다.

●● 티칭 포인트

아이들을 가르칠 때, 하나님이 우리를 불쌍히 여기시는 것은 우리도 다른 사람을 불쌍히 여기기를 바라시기 때문이라는 점을 강조하십시오. 3번도 아니고, 7번도 아니고, 셀 수 없을 만큼 계속해서 말입니다. 우리는 하나님께 엄청나게 큰 빚을 면제받은 자들입니다. 그러므로 누가 우리에게 죄를 짓더라도 용서할 수 있어야 합니다.

이야기 성경

용서할 줄 모르는 종 비유

마 18:21~35

베드로가 예수님께 물었어요. "제게 잘못한 사람을 몇 번이나 용서해야 합니까? 7번이면 되겠습니까?" 예수님이 대답하셨어요. "7번이 아니라 7번씩 70번까지라도 용서해 주어라" 그런 다음 예수님은 베드로에게 이야기를 하나 들려주셨어요. 하나님 나라의 용서는 어떤 모습인지 베드로가 이해하기를 바라셨기 때문이에요.

"어느 날 한 왕이 자기 종들을 모두 불렀다. 그러고는 '너희가 내게 진 빚이 얼마냐?'라고 물었다. 한 종이 왕에게 1만 ★달란트나 되는 빚을 졌다. 하지만 종에게는 갚을 돈이 없었다. 그래서 왕은 종과 종의 가족까지 모두 노예로 팔아 빚을 갚으라고 명령했다. 종은 왕에게 간청했다. '제발 시간을 조금만 더 주십시오. 제가 꼭 다 갚겠습니다. 약속합니다.' 왕은 종을 불쌍히 여겼다. 그래서 그를 풀어 주고 빚도 다 없애 주었다. 이제 종은 왕에게 빚을 하나도 갚지 않아도 되었다!

길을 가던 종은 자기에게 100★데나리온을 빚진 친구와 마주쳤다. 종은 친구의 멱살을 잡고 이렇게 호통을 쳤다. '나한테 빚진 돈을 갚아라!' 친구도 종에게 간청했다. '제발 시간을 조금만 더 주게. 내가 꼭 다 갚겠네. 약속하네!' 하지만 종은 친구를 용서하지 않았다. 오히려 그를 감옥에 가둬 버렸다.

다른 종들이 이 일을 왕에게 알렸다. 왕은 자기가 용서해 주었던 종을 불러 이렇게 말했다. '이 악한 사람아! 나는 네가 결코 갚을 수 없는 큰 빚을 없애 주었는데, 너는 그렇게 작은 빚을 진 네 친구를 용서해 줄 수 없었느냐?' 왕은 화가 나서 종에게 벌을 내리고 원래 갚아야 했던 빚을 모두 다 갚으라고 했다."

이야기를 마치신 후 예수님이 말씀하셨어요. "너희가 서로를 용서하지 않으면 하늘에 계신 내 아버지께서도 이렇게 하실 것이다."

● ● 예수님 생각하기

우리의 죄 때문에 우리는 하나님께 결코 갚을 수 없는 빚을 졌어요. 우리는 벌을 받아야 했어요. 예수님은 이 땅에 오셔서 우리의 죄 때문에 십자가에서 죽으셨어요. 우리 대신 벌을 받으셨고, 우리가 갚아야 할 빚을 대신 갚으셨어요. 예수님을 믿으면 하나님이 우리의 죄를 용서하세요. 모든 죄를요! 하나님이 우리의 큰 죄를 용서해 주셨듯이 우리도 다른 사람을 용서할 수 있어요.

★ 달란트 : 1달란트는 6천 데나리온이며 20년 치 품삯과 같다. 1만 달란트는 가늠할 수 없이 큰 금액을 의미한다.

★ 데나리온 : 1데나리온은 하루치 품삯과 같다.

가스펠 준비

싱글벙글 환영해요

DVD "하나님 나라는"(지도자용 팩)을 튼다. 아이들을 반갑게 맞이하며 헌금과 기도를 도와준다. 예배 중 헌금 순서가 있다면 아이들이 헌금을 잘 간수하도록 돕는다. 가방과 외투를 정리하도록 안내한다. 새로 온 아이가 있다면 음수대와 화장실의 위치를 알려 주고, 보호자와 만나는 시간과 방법 등을 소개한다. 보호자들을 위한 안내문을 붙여 아이와 만나는 시간, 기다리는 장소, 헌금 방법, 아이에 대한 특별한 주의 사항을 교사에게 미리 알려 달라는 당부 등을 공지한다.

너랑 나랑 마음 열기

주제와 관련 있는 퍼즐이나 블록 등 아이들이 좋아하는 장난감을 몇 가지 비치해 두고 다양한 활동을 하며 예배를 준비하거나 예배 장소 및 친구들과 익숙해지도록 돕는다. 아이들이 마음을 열고 오늘의 주제에 관심을 갖게 하며 예배에 집중할 수 있도록 도와준다. 교회 형편에 맞게 시간과 활동 방법을 조절한다.

7번 반복해요 *

❶ 인도자가 하나의 동작을 말하면 아이들은 그 동작을 7번 반복해야 한다는 게임의 규칙을 설명해 준다.
예) 높이뛰기, 쪼그려 앉기, 발가락 만지기, 팔 벌려 뛰기, 머리카락 만지기, 머리 위로 손들기 등.

❷ 아이들이 동작을 할 때마다 인도자가 숫자를 크게 센다.

인도자 참 잘했어요! 오늘의 성경 이야기에서 베드로는 예수님께 다른 사람을 몇 번이나 용서해 주어야 하는지를 물었어요. 7번 정도면 잘하는 것이라고 생각하면서요. 하지만 예수님의 대답은 베드로의 생각과 달랐어요. 예수님이 어떤 대답을 하셨는지 잘 들어 보아요.

얼마나 많은지 맞혀 보아요 *

준비물 ▶ 땅콩, 단추, 콩, 1.5L 페트병

❶ 땅콩, 단추, 콩을 1.5L 페트병에 각각 담아 둔다. 아이들이 숫자를 세기 어렵도록 10개 이상씩 넣는다.

❷ 아이들에게 각각의 페트병에 땅콩, 단추, 콩이 몇 개씩 들어 있는지 맞혀 보라고 한다.

❸ 페트병 뚜껑을 열고 책상 위에 차례로 쏟아 아이들과 함께 세어 본다.

인도자 큰 수를 세는 것은 정말 헷갈리는 일이에요! 오늘의 성경 이야기에서 예수님은 베드로에게 우리가 어떤 일을 아주 많이 해야 한다고 가르치셨어요. 예수님이 도대체 무슨 일을, 어떻게 하라고 하셨는지 귀를 쫑긋 세우고 우리 함께 알아보기로 해요.

동전을 쌓아요 *

준비물 ▶ 실물이나 장난감 동전(10원, 50원, 100원)

❶ 동전을 종류별로 준비해 아이들에게 하나하나 소개해 준다.

❷ 아이들에게 동전을 높이 쌓아 보게 한다.

tip 동전을 입에 넣거나 굴리는 등 장난치지 않기로 약속을 정해 둔다.

❸ 쌓인 동전을 나란히 놓아 누가 더 높이 쌓았는지 비교해 본다.

❹ 활동이 끝나면 비누를 이용해 손을 깨끗이 씻을 수 있도록 지도한다.

인도자 오늘의 성경 이야기에서 예수님은 큰돈을 빌리고 갚지 못한 사람의 이야기를 들려주셨어요. 예수님은 어떤 것을 가르쳐 주려고 이 이야기를 들려주셨을까요? 함께 들어 보아요.

예배 대형으로 모이기

- 카운트다운 영상, 모이기 노래 등을 활용해 예배 대형으로 바꾸고 마음을 준비하게 한다.
- 공간을 이동해야 한다면 여러 나라 말로 '7'까지 세며 가도록 한다.

예) - 영어 : one[원], two[투], three[쓰리], four[포], five[파이브], six[식스], seven[세븐]
- 중국어 : 一[이], 二[얼], 三[싼], 四[쓰], 五[우], 六[리우], 七[치]
- 스페인어 : uno[우노], dos[도스], tres[뜨레스], cuatro[꽈뜨로], cinco[씬꼬], seis[세이스], siete[시에떼]

가스펠 설교

하나 — 들어가기

아이들과 함께 숫자 1부터 큰 소리로 센다. 아이들이 더 셀 수 없을 때까지 계속 센다.

오늘의 성경 이야기에서 한 종이 왕에게 아주 많은 돈을 빌렸대요. 셀 수 없을 정도로 많은 돈이었지요. 이야기를 잘 듣고 왕이 종의 빚을 어떻게 해 주었는지 알아보세요.

둘 — 성경 이야기

DVD 마태복음 18장을 편다. 설교 영상(지도자용 팩)을 보여 주거나 이야기 성경을 들려준다.

성경은 하나님이 우리에게 주신 하나님의 말씀이에요. 성경은 하나님이 어떤 분이시고, 우리를 위해 어떤 일을 하셨는지 알려 주어요. 그리고 성경에 기록된 말씀은 모두 사실이에요! 오늘의 성경 이야기는 '마태복음'에 나온답니다.

셋 — 메시지와 정리

우리에게 잘못한 사람을 용서하지 않으면 우리도 예수님이 들려주신 이야기 속의 종과 같은 사람이 되어요. **예수님은 하나님의 용서에 대해 가르치셨어요.** 우리는 죄인이에요. 셀 수 없을 정도로 많은 죄를 짓지요. 그런데도 하나님은 우리가 예수님을 믿고 의지하면 그 죄를 모두 용서해 주세요. 우리가 우리에게 잘못하는 사람들을 용서할 수 있는 이유는 하나님이 우리의 큰 죄를 용서해 주셨기 때문이에요.

DVD 연대표(지도자용 팩)를 가리키면서 복습 질문을 한다.

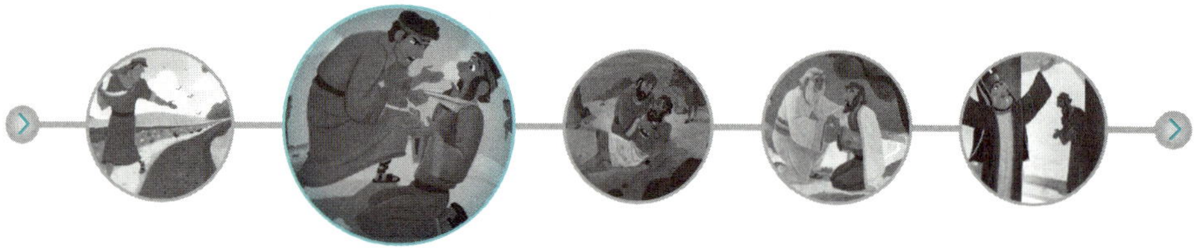

1. 왕이 용서해 준 종의 빚은 얼마였나요? 1만 달란트
2. 친구가 그 종에게 진 빚은 얼마였나요? 100데나리온
3. 1만 달란트와 100데나리온은 얼마나 차이가 나나요? 셀 수 없을 만큼
4. 종은 자기에게 빚진 친구를 어떻게 했나요? 감옥에 가두었다
5. 종의 행동을 알게 된 왕은 종을 어떻게 했나요? 종에게 벌을 내리고 그가 진 빚을 모두 다 갚으라고 명령했다

넷 — 성경의 초점

1단원의 '성경의 초점'을 기억하나요? 아이들의 대답을 기다린다. 맞아요, **"예수님은 왜 이야기를 들려주셨나요?"**, **"하나님과 하나님 나라에 대해 가르치시기 위해서예요"**랍니다. 베드로는 하나님 나라의 용서가 어떤 것인지 몰랐어요. 그래서 **예수님은** 이야기를 통해 **하나님의 용서에 대해 가르치셨어요.**

다섯 — 복음 초청

성경과 48쪽 복음 초청 가이드를 이용해서 아이들에게 그리스도인이 되는 법을 설명해 준다. 따로 상담해 줄 사람을 정해 주고 궁금한 점이 있으면 물어보도록 격려한다.

이 시간 예수님을 믿고 마음에 모시고 싶은 친구는 함께 기도해요.

여섯 — 기도

사랑하는 하나님, 우리를 불쌍히 여기시고 예수님을 통해 용서해 주셔서 감사해요. 우리의 죄를 용서하시기 위해 아무런 잘못도 하지 않으신 예수님을 보내 주시고 우리 대신 십자가에서 벌받게 하신 하나님의 사랑을 믿어요. 이제 우리도 다른 사람들을 불쌍히 여기고 용서하며 살래요. 하나님이 도와주세요. 예수님의 이름으로 기도합니다. 아멘.

일곱 — 암송송

성경에서 마가복음 6장 34절을 펴고 큰 소리로 여러 번 따라 읽게 한다.

예수님이 사람들에게 하나님에 대해 가르치신 이유는 그들을 아끼고 사랑하시기 때문이에요. 예수님은 우리를 사랑하시고, 하나님 아버지가 어떤 분이신지를 우리가 알기를 바라세요.

암송송(162쪽)에 맞추어 손유희를 하며 말씀을 익힌다.

"예수께서 나오사 큰 무리를 보시고 그 목자 없는 양 같음으로 인하여 불쌍히 여기사 이에 여러 가지로 가르치시더라"(막 6:34).

가스펠 소그룹

알콩달콩 말씀 놀이

용서하는 마음을 가져요

준비물 ▶ 유치부 교재 6쪽, 45쪽 '용서' 스티커, 연필

이야기 나누기

- 나에게 잘못한 사람을 용서해 주기 싫었던 적이 있나요?
- 내가 정말 잘못했는데 용서받은 적이 있나요? 그때 기분이 어떠했나요?
- 우리는 왜 잘못한 사람을 용서해야 하나요?

❶ 예수님은 다른 사람을 얼마나 많이, 몇 번이나 용서해야 한다고 말씀하셨는지 아이들에게 물어본다.

❷ 예수님께 용서 보따리를 선물로 받은 사람에게 각자의 이름을 쓰게 한다.

❸ 예수님이 나를 얼마나 많이 용서해 주셨는지 생각하며 큰 용서 보따리에 45쪽 '용서' 스티커를 하나씩 떼어 붙이게 한다.

❹ 그 사랑을 생각하며 나는 나에게 잘못한 친구에게 얼마나 용서해 줄지를 생각하며 작은 용서 보따리에 45쪽 '용서' 스티커를 하나씩 떼어 붙이게 한다.

인도자 **예수님은** 비유를 통해 **하나님의 용서에 대해 가르치셨어요.** 왕에게 1만 달란트를 빚진 어떤 종과 종에게 100데나리온을 빚진 친구의 이야기예요. '1만'은 '100'보다 훨씬 큰 수예요. '달란트'도 '데나리온'보다 훨씬 큰 수지요. 우리는 종이 왕에게 진 빚보다 훨씬 더 큰 빚을 하나님께 졌어요. 우리는 죄인이고 하나님께 벌을 받아야 했어요. 하지만 예수님이 우리 대신 벌을 받으셨어요. 예수님은 십자가에서 죽으심으로 우리가 하나님께 진 빚을 대신 갚으셨어요. 예수님을 믿고 의지할 때 하나님은 우리의 죄를 용서하세요. 모든 죄를요! 하나님이 우리의 큰 죄를 용서해 주셨듯이 우리도 다른 사람을 용서할 수 있어요.

'7×70' 도장을 찍어 보아요 *

준비물 ▶ 167쪽 '도장 찍기' 그림(또는 지도자용 팩), 도장, 스탬프

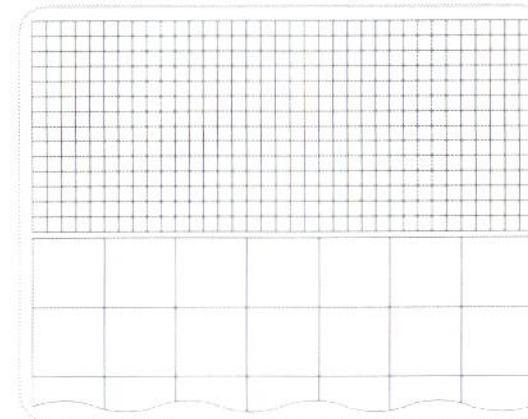

❶ 167쪽 '도장 찍기' 그림(또는 지도자용 팩)을 아이들의 수만큼 준비해 둔다.

❷ 예수님이 용서하라고 말씀하신 횟수인 '7×70', 즉 '7번씩 70번'이 얼마나 큰 숫자인지 작은 네모 칸을 세어 보라고 하고, 조금 후에 너무 많아서 다 세기 어렵다는 것을 일깨운다. 예수님은 이만큼만 용서하라는 말씀이 아니라 셀 수 없이 많이 용서하라는 뜻으로 말씀하셨다는 것을 설명해 준다.

❸ 아이들에게 도장을 나누어 주고, 큰 네모 칸에 도장을 찍으라고 한다.

tip 도장을 찍을 때마다 '용서'라고 말하게 하는 것도 좋다.

인도자 '7번씩 70번'은 정말 많은 숫자이지요! 예수님은 우리에게 정말 엄청나게 많이 용서해 주라고 말씀하셨어요. **예수님은 하나님의 용서에 대해 가르치셨어요.** 그렇다면 우리는 하나님께 얼마나 많이 용서를 받았을까요? 아이들의 대답을 기다린다. 하나님은 우리가 지은 모든 죄를 용서해 주셨어요! 때때로 우리는 정말 화가 나는 일을 겪기도 해요. 그럴 때마다 오래 참으시며 우리의 죄를 용서해 주신 하나님을 기억해요. 그리고 우리 대신 벌을 받으신 예수님을 기억해요! 하나님이 우리의 큰 죄를 용서해 주셨듯이 우리도 다른 사람을 용서할 수 있어요. 다른 사람을 용서하고, 또 용서하는 것은 우리가 예수님을 얼마나 사랑하는지, 예수님의 사랑에 얼마나 감사하는지를 예수님께 보여 드리는 방법이에요.

금전 등록기 놀이를 해요 *

준비물 ▶ 168쪽 '금전 등록기' 그림(또는 지도자용 팩), 뚜껑을 여닫을 수 있는 신발 상자, 장난감 돈

❶ 신발 상자 윗면에 168쪽 '금전 등록기' 그림(또는 지도자용 팩)을 붙여 '금전 등록기'를 만들어 둔다.

❷ 장난감 돈을 이용해 아이들과 함께 은행 놀이나 상점 놀이를 해 본다.

tip 장난감 금전 등록기가 있으면 사용해도 좋다.

인도자 오늘의 성경 이야기 속에 나오는 왕은 자신에게 큰 빚을 진 종의 빚을 탕감해 주었고 그를 용서했어요. 하지만 종은 자기에게 작은 빚을 진 친구를 용서하지 않았어요. **예수님은** 이 이야기를 통해 **하나님의 용서에 대해 가르치셨어요.** 우리는 죄 때문에 하나님께 도무지 갚을 수 없는 빚을 졌어요. 하지만 예수님이 십자가에서 우리의 죄 때문에 죽으셔서 우리가 진 빚을 대신 갚으셨어요. 하나님이 우리의 큰 죄를 용서하셨듯이 우리도 다른 사람을 용서할 수 있어요.

소곤소곤 꿀~꺽 간식

준비물 ▶ 크래커, 우유

❶ 카운트다운 영상, 정리하기 노래 등을 활용해 활동이 끝났음을 알린다. 아이들에게 주변을 정리하게 하고, 화장실에 가거나 물티슈 등을 이용해 손을 씻을 시간을 준다.

❷ 감사 기도를 드리고 크래커 7개와 우유를 간식으로 나누어 준다. 베드로는 자신에게 잘못을 저지르는 사람을 7번 용서해 주면 충분하다고 생각했지만, 예수님은 "7번이 아니라 7번씩 70번까지라도 용서해 주어라!"라고 말씀하셨다고 일러 준다. 하나님이 우리의 큰 죄를 용서하셨듯이 우리도 다른 사람을 용서해야 한다고 말해 준다.

❸ 간식을 먹은 후 마무리 정리를 잘하도록 지도한다.

오순도순 마무리

준비물 ▶ 유치부 교재 37쪽 메시지 카드, 소그룹 활동지, 파일

❶ 이번 주 메시지 카드로 부모님과 함께 오늘 배운 성경 이야기를 나누어 보라고 한다.

가족과 활동해요

- 한 주 동안 아이들을 훈육할 일이 있을 때 오늘의 성경 이야기를 떠올려 보세요.
- 우리가 하나님께 진 죄의 빚을 예수님이 어떻게 갚으셨는지를 설명하면서 훈육 시간을 복음을 전하는 시간으로 삼아 보세요.

❷ 나만의 기록장에 기록할 내용을 소개하고, 소그룹 활동지를 떼어 파일에 끼운 뒤 가방에 정리하게 한다.

❸ 아이들을 위해 기도한다.

인도자 하나님, 우리는 죄 때문에 하나님께 도저히 갚을 수 없는 빚을 졌어요. 우리는 벌을 받아야 했어요. 하지만 예수님이 우리 대신 벌을 받으셨어요. 우리가 예수님을 믿고 의지하도록 도와주세요. 우리가 용서받은 것처럼 다른 사람을 용서할 수 있도록 도와주세요. 예수님의 이름으로 기도합니다. 아멘.

❹ 아이를 데리러 온 부모에게 아이가 특별히 즐거워했거나 잘했던 활동들에 대해 이야기해 주고, 가정에서 성경 읽기와 가족 활동을 진행할 수 있도록 격려한다.

나만의 기록장

예수님께 용서받은 내 모습 그리기

3
선한 사마리아인 비유

[눅 10:25~37]

주제 예수님이 우리를 사랑하시듯이 우리도 다른 사람을 사랑할 수 있어요.

예수님 생각하기 예수님의 이야기를 들은 사람들은 놀랐어요. 우리는 길에 쓰러져 있던 사람과 같아요. 하나님은 우리에게 도움이 필요하다는 것을 아셨어요. 그래서 예수님을 보내 우리를 죄에서 구원하셨어요. 우리가 다른 사람을 돕는 모습을 보는 사람들도 하나님의 사랑을 알게 될 거예요.

단원 암송 막 6:34

성경의 초점 예수님은 왜 이야기를 들려주셨나요?
하나님과 하나님 나라에 대해 가르치시기 위해서예요.

본문 속으로

예수님이 예수님을 따르는 사람들과 함께 계실 때, 한 율법 교사가 일어나 질문을 했습니다. "선생님 내가 무엇을 하여야 영생을 얻으리이까?" 예수님은 그가 성경 말씀에서 답을 찾도록 하셨습니다. "네 마음을 다하며 목숨을 다하며 힘을 다하며 뜻을 다하여 주 너의 하나님을 사랑하고 또한 네 이웃을 네 자신같이 사랑하라"(신 6:5; 레 19:18 참조).

그러자 율법 교사가 다시 물었습니다. "내 이웃이 누구니이까?" 예수님은 그가 사랑해야 할 이웃의 목록을 주시는 대신 비유를 하나 들려주셨습니다.

예수님의 이야기를 들은 사람들은 놀랐습니다. 하나님을 섬기는 일에 헌신한 제사장과 레위인은 곤경에 빠진 사람을 못 본 척했고, 오히려 유대인에게 사회적으로 따돌림 당하던 사마리아인이 곤경에 처한 자에게 긍휼을 베푼 이웃으로 드러났기 때문입니다. 예수님이 율법 교사에게 말씀하셨습니다. "가서 너도 이와 같이 하라."

예수님은 "내 이웃이 누구니이까?"라는 질문에 직접적인 답을 하지 않으셨습니다. 질문이 틀렸기 때문입니다. 율법 교사는 자신을 정당화할 길을 찾고 있었습니다. 구약성경이 말하는 최소한의 요구 조건을 충족해 영원한 생명을 얻고 싶었던 것입니다. 그러나 그의 바람과 달리 예수님은 율법 교사에게 사랑에 한계를 두지 말고 행동으로 사랑을 보이라고 가르치셨습니다.

●● 티칭 포인트

이 비유에서 우리는 복음의 아름다움을 봅니다. 우리가 강도 만난 사람처럼 구원이 필요한 상황에 있다는 것을 하나님이 아셨다는 점을 아이들에게 강조하십시오. 우리는 죄 가운데 죽어 있었습니다. 도저히 스스로 구할 수 없는 상태였습니다. 하나님은 우리를 죄에서 구하기 위해 아들이신 예수님을 보내심으로 하나님의 사랑을 보이셨습니다.

예수님은 우리에게 오셔서 구원과 용서, 그리고 우리에게 필요한 모든 것을 주셨습니다. 우리가 예수님을 바라볼 때 예수님은 끊임없이 우리를 돌보십니다.

하나님이 우리를 사랑하신 것처럼 하나님은 우리도 다른 사람을 사랑하게 하려고 우리를 부르셨고, 그런 우리의 모습을 통해 세상이 하나님의 사랑을 알게 될 것이라는 사실을 강조하십시오.

이야기 성경

선한 사마리아인 비유

눅 10:25~37

어느 날 한 유대인 율법 선생님이 예수님께 물었어요. "선생님, 제가 무엇을 해야 영원한 생명을 얻겠습니까?" 예수님이 대답하셨어요. "너는 어떻게 생각하느냐? 성경은 무엇이라고 말하느냐?" 율법 선생님이 말했어요. "성경은 '네 마음을 다하며 목숨을 다하며 힘을 다하며 뜻을 다하여 주 너의 하나님을 사랑하라' 하고, '네 이웃을 네 자신같이 사랑하라'라고 말합니다." 예수님이 말씀하셨어요. "그 말이 맞다. 그렇게 해라. 그러면 영원한 생명을 얻게 될 것이다."

그러자 그 사람이 다시 물었습니다. "제 이웃이 누구입니까?" 예수님은 율법 선생님의 질문에 대답하시기 위해 이야기를 하나 들려주셨어요.

"한 남자가 예루살렘에서 여리고로 가던 길에 강도들의 공격을 받았다. 강도들은 남자가 가진 것을 빼앗고 때려 길에 버려두고 갔다. 한 제사장이 그 길을 가다가 남자가 길에 쓰러져 있는 것을 보았다. 하지만 제사장은 그를 돕지 않았다. 오히려 다른 길로 피해 갔다.

잠시 후, 종교 지도자인 한 레위인이 그 길을 가다가 남자가 쓰러져 있는 것을 보았다. 하지만 그 역시 남자를 돕지 않았다. 그리고 다른 길로 피해 갔다.

그다음에 한 사마리아인이 그 길을 가다가 남자가 쓰러져 있는 것을 보았다. 사마리아인은 그 사람을 도왔다! 그는 남자의 상처에 붕대를 감고, 자기 나귀에 실은 뒤, 여관으로 데려갔다. 그리고 여관 주인에게 남자를 잘 돌봐 달라고 돈을 주었다."

예수님은 이야기를 마치시고 율법 선생님에게 물으셨어요. "누가 강도 만난 사람의 진짜 이웃이냐?"

율법 선생님이 대답했어요. "남자를 도와준 사람입니다." 예수님이 말씀하셨어요. "가서 너도 그렇게 해라."

●● 예수님 생각하기

예수님의 이야기를 들은 사람들은 놀랐어요. 우리는 길에 쓰러져 있던 사람과 같아요. 하나님은 우리에게 도움이 필요하다는 것을 아셨어요. 그래서 예수님을 보내 우리를 죄에서 구원하셨어요. 우리가 다른 사람을 돕는 모습을 보는 사람들도 하나님의 사랑을 알게 될 거예요.

가스펠 준비

싱글벙글 환영해요

"하나님 나라는"(지도자용 팩)을 튼다. 아이들을 반갑게 맞이하며 헌금과 기도를 도와준다. 예배 중 헌금 순서가 있다면 아이들이 헌금을 잘 간수하도록 돕는다. 가방과 외투를 정리하도록 안내한다. 새로 온 아이가 있다면 음수대와 화장실의 위치를 알려 주고, 보호자와 만나는 시간과 방법 등을 소개한다. 보호자들을 위한 안내문을 붙여 아이와 만나는 시간, 기다리는 장소, 헌금 방법, 아이에 대한 특별한 주의 사항을 교사에게 미리 알려 달라는 당부 등을 공지한다.

너랑 나랑 마음 열기

주제와 관련 있는 퍼즐이나 블록 등 아이들이 좋아하는 장난감을 몇 가지 비치해 두고 다양한 활동을 하며 예배를 준비하도록 돕는다. 아이들이 마음을 열고 오늘의 주제에 관심을 갖게 하며 예배에 집중할 수 있도록 도와준다. 교회 형편에 맞게 시간과 활동 방법을 조절한다.

무엇을 해야 될까요? *

❶ 인도자가 아이들에게 다양한 상황을 말해 준 뒤 "무엇을 해야 될까요?"라고 질문한다.

예) • "쿠키를 만들고 싶어요. 무엇을 해야 될까요?"
• "유치원(어린이집)에 가야 해요. 무엇을 해야 될까요?"
• "잠잘 시간이에요. 무엇을 해야 될까요?"
• "텔레비전을 보고 싶어요. 무엇을 해야 될까요?"
• "모래성을 쌓고 싶어요. 무엇을 해야 될까요?"
• "수영하러 가고 싶어요. 무엇을 해야 될까요?"

❷ 아이들에게 무엇을 해야 되는지 대답을 한 뒤 동작으로 표현해 보라고 한다.

❸ 마지막으로, "영원한 생명을 얻고 싶어요. 무엇을 해야 될까요?"라고 물어본다.

❹ 아이들이 대답하지 못할 경우, 활동을 마무리하면서 다음과 같이 말한다.

인도자 오늘의 성경 이야기에서 한 사람이 예수님께 영원한 생명을 얻으려면 어떻게 해야 되는지 물었고, 예수님이 대답을 해 주셨어요. 우리의 힘으로는 아무리 노력해도 영원한 생명을 얻을 수 없는데, 예수님은 무엇이라고 대답해 주셨을까요? 오늘의 말씀을 잘 들어 보아요.

교통 표지판을 피해서 걸어요 *

준비물 ▶ 플라스틱 교통 표지판

❶ 플라스틱 교통 표지판을 예배실 바닥에 지그재그 모양으로 띄엄띄엄 놓는다.

tip 의자나 책상 등 여러 도구에 교통 표지판 그림을 프린트한 종이를 붙여 이용해도 좋다.

❷ 아이들에게 차례대로 교통 표지판 사이사이로 지나가 보라고 말한다.

tip 연령대가 낮은 경우 교통 표지판 사이 예배실 바닥에 마스킹 테이프를 이용해 길을 만들어 준다.

인도자 표지판을 피해 잘 통과했어요. 오늘의 성경 이야기에서 예수님은 율법 선생님에게 어떤 이야기를 들려주셨어요. 이야기에 나오는 제사장과 레위인은 길을 가다가 무엇인가를 발견했어요. 그러고는 그것을 피해 길 옆으로 지나갔지요. 이야기를 잘 듣고 과연 무엇을 보고 피해 갔는지 함께 알아보기로 해요.

예배 대형으로 모이기

- 카운트다운 영상, 모이기 노래 등을 활용해 예배 대형으로 바꾸고 마음을 준비하게 한다.
- 공간을 이동해야 한다면 친구와 짝을 지어 아픈 친구를 부축하는 흉내를 내며 가도록 한다.

가스펠 설교

하나 — 들어가기

여러분의 이웃은 누구인가요? 이웃의 이름이 생각난 사람은 손가락을 코에 대 보세요. 아이들의 대답을 기다린다. 누구라도 우리의 이웃이 될 수 있어요! 오늘의 성경 이야기에서 어떤 사람이 예수님께 누가 자기 이웃인지를 질문했어요. 과연 예수님은 무엇이라고 대답하셨을까요? 이야기를 잘 들어 보세요.

tip 아이들의 생각을 돕기 위해 “여러분 가까이 사는 사람이 누구인가요?”, “여러분은 누구랑 같이 노나요?”, “여러분 옆에는 누가 앉아 있나요?” 등과 같은 질문을 던진다.

둘 — 성경 이야기

DVD 누가복음 10장을 편다. 설교 영상(지도자용 팩)을 보여 주거나 이야기 성경을 들려준다.

성경에는 하나님의 진리의 말씀이 들어 있어요. 그래서 성경은 옛날에 있었던 어떤 책보다도, 앞으로 생길 어떤 책보다도 귀한 책이에요. 오늘의 성경 이야기는 신약성경 중 ‘누가복음’에 나온답니다.

셋 — 메시지와 정리

제사장과 레위인은 도움이 필요한 사람을 돕지 않았어요. 하지만 사마리아인은 도왔어요. **예수님이 우리를 사랑하시듯이 우리도 다른 사람을 사랑할 수 있어요.** 우리는 이야기에 나오는 강도 만난 사람과 같아요. 죄에서 구원받아야 하지요. 하나님은 우리에게 도움이 필요하다는 것을 아시고 예수님을 보내셨어요. 예수님은 사마리아인처럼 우리를 구해 주셨어요. 예수님이 우리를 죄에서 구원하셨기 때문에, 우리도 도움이 필요한 다른 사람을 도와줄 수 있어요. 우리가 다른 사람을 돕는 모습을 보는 사람들도 하나님의 사랑을 알게 될 거예요.

DVD 연대표(지도자용 팩)를 가리키면서 복습 질문을 한다.

1. 유대 사람 율법 선생님이 예수님께 한 질문은 무엇이었나요? “제가 무엇을 해야 영원한 생명을 얻겠습니까?”
2. 예수님의 이야기에서 다친 사람을 버려두고 그냥 지나친 사람들은 누구누구였나

요? 제사장과 레위인

3. 다친 사람을 도와준 사람은 누구였나요? 사마리아인
4. 예수님은 이야기를 마치신 뒤 율법 선생님에게 어떤 질문을 하셨나요? "누가 강도 만난 사람의 진짜 이웃이냐?"
5. 예수님은 율법 선생님에게 어떻게 하라고 말씀하셨나요? "가서 너도 그렇게 해라"

넷 — 성경의 초점

"예수님은 왜 이야기를 들려주셨나요?", "하나님과 하나님 나라에 대해 가르치시기 위해서예요." 율법 선생님은 우리가 하나님께 얼마나 큰 사랑을 받았는지, 또한 우리가 모든 사람을 사랑하기를 하나님이 원하신다는 것을 알지 못했어요. 예수님은 이야기를 통해, 하나님이 우리를 사랑하시듯이 우리도 다른 사람을 사랑하기 바라신다는 것을 가르쳐 주셨어요. 하나님은 모든 것을 내어 주며 우리를 사랑하세요!

다섯 — 복음 초청

성경과 48쪽 복음 초청 가이드를 이용해서 아이들에게 그리스도인이 되는 법을 설명해 준다. 따로 상담해 줄 사람을 정해 주고 궁금한 점이 있으면 물어보도록 격려한다.

이 시간 예수님을 믿고 마음에 모시고 싶은 친구는 함께 기도해요.

여섯 — 기도

사랑의 하나님, 우리를 불쌍히 여기시고 우리를 죄에서 구원하기 위해 예수님을 보내 주셔서 감사해요. 이제 예수님을 믿으니 하나님이 우리에게 하신 것처럼 도움이 필요한 사람들을 불쌍히 여기고, 도와주며, 다른 사람들을 사랑하며 살고 싶어요. 하나님, 도와주세요. 예수님의 이름으로 기도합니다. 아멘.

일곱 — 암송송

성경에서 마가복음 6장 34절을 펴고 큰 소리로 여러 번 따라 읽게 한다.

우리는 죄인이에요. 그래서 하나님이 어떤 분이신지, 하나님 나라가 어떤 곳인지 우리의 힘으로는 알 수 없어요. 예수님은 우리를 죄에서 구원하고 하나님이 어떤 분이신지 알려 주려고 이 땅에 오셨어요.

암송송(162쪽)에 맞추어 손유희를 하며 말씀을 익힌다.

"예수께서 나오사 큰 무리를 보시고 그 목자 없는 양 같음으로 인하여 불쌍히 여기사 이에 여러 가지로 가르치시더라"(막 6 : 34).

알콩달콩 말씀 놀이

누가 진짜 이웃일까요?

준비물 ▶ 유치부 교재 8쪽, 31쪽 '마이크' 그림, 풀, 색연필

이야기 나누기

- 누군가 도와 달라고 할 때 모르는 척했던 적이 혹시 있나요? 왜 그랬나요?
- 하나님을 사랑하면 왜 이웃을 사랑해야 하나요?
- 사마리아인은 어떤 면에서 예수님과 닮았나요?

❶ 아이들에게 오늘의 성경 이야기를 요약해서 들려주고 3명 앞에 놓인 길을 따라 각각 선을 그어 보라고 한다. 누가 다친 사람을 도와주었는지 물어본다.

❷ 유치부 교재 31쪽 '마이크' 그림을 떼어 풀로 붙여 마이크를 만든 후 역할을 나누어 인터뷰 놀이를 해 본다. 처음에는 인도자가 '강도 만난 사람'이 되어 인터뷰를 주도하고, 아이들에게 길을 지나가던 사람들의 역할을 맡겨 질문에 답하게 한다. 다음에는 친구와 인터뷰를 주고받게 한다.

예) 〈인도자 : 강도 만난 사람, 아이들 : 제사장, 레위인, 사마리아인〉

- **강도 만난 사람(인도자)** : 제가 여리고를 향해 가고 있었는데 갑자기 강도들이 나타났어요. 강도들은 저를 때리고 가지고 있던 모든 것을 빼앗아 갔어요. 저는 땅에 쓰러져 있었어요. 아파서 아무것도 할 수 없었지요. "도와주세요, 도와주세요!" 이렇게 신음 소리만 내고 있었어요.
- **강도 만난 사람(인도자)** : "제사장이여, 하나님께 제사드리는 일을 맡으신 분이 왜 저를 도와주지 않으셨나요?" [제사장 역할을 맡은 아이에게 마이크를 건넨다.]
- **제사장(아이 1)** : "저는 예배에 늦으면 안 돼요. 사람들의 죄를 없애 달라고 하나님께 기도해야 하거든요."
- **강도 만난 사람(인도자)** : "레위인이여, 당신은 하나님의 성전에서 하나님을 위해 일하시는 분이잖아요. 그런데 왜 저를 도와주지 않으셨나요?" [레위인 역할을 맡은 아이에게 마이크를 건넨다.]
- **레위인(아이 2)**: "저는 거룩한 레위인이에요. 그래서 더러운 것을 만지면 안 돼요. 하나님께 예배드릴 때 깨끗해야 하거든요."
- **강도 만난 사람(인도자)** : "사마리아인이여, 그런데 왜 당신은 저를 도와주셨나요?" [사마리아인 역할을 맡은 아이에게 마이크를 건넨다.]
- **사마리아인(아이 3)** : "그냥 두면 당신은 죽을 것만 같았어요. 불쌍한 당신을 보고 어떻게 지나칠 수가 있겠어요?"
- **강도 만난 사람(인도자)** : "어려움에 빠진 저를 도와주신 사마리아인이여, 당신은 정말 하나님의 사람이시군요.

하나님의 사랑을 알게 해 주셔서 감사해요."

인도자 예수님의 이야기에 나오는 한 장면이에요. 세 사람 중에 누가 가던 길을 멈추고 강도 만난 사람을 도와주었나요? 아이들의 대답을 들어 본다. 강도 만난 사람이 누군가의 도움이 필요했던 것처럼, 하나님은 우리가 죄에서 구원받기 위해 도움이 필요하다는 것을 아셨어요. 그래서 우리를 불쌍히 여기시고 죄에서 구원하기 위해 예수님을 보내셨어요. 예수님을 믿는 우리는 하나님이 우리에게 하신 것처럼 도움이 필요한 사람들을 불쌍히 여기고 도와주어야 해요. 그때 사람들이 우리를 보고 하나님의 사랑을 알게 된답니다. **예수님은 왜 이야기를 들려주셨나요? 하나님과 하나님 나라에 대해 가르치시기 위해서예요.** 여러분은 이 이야기에서 어떤 하나님을 알게 되었나요? 아이들에게 생각할 시간을 주고 충분히 나눈다. 우리도 하나님처럼 다른 사람을 불쌍히 여기고 도와주면 좋겠어요.

'손 하트'를 만들어요 *

준비물 ▶ 색 도화지, 색연필, 안전 가위, 사인펜

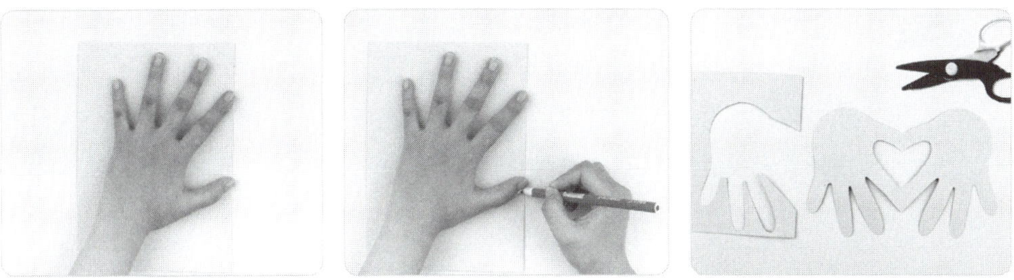

❶ 색 도화지를 반으로 접고, 접힌 쪽 끝부분에 엄지와 검지가 닿도록 손바닥을 펼친 후 손 모양을 따라 그리도록 지도한다.

❷ 선을 따라 안전 가위로 오린 뒤 종이를 펼쳐 '손 하트'를 완성하게 한다.

tip 연령대가 낮은 경우 교사가 가위질을 도와준다.

❸ '손 하트'의 왼쪽과 오른쪽에 각각 '하나님 사랑', '이웃 사랑'이라고 쓸 수 있도록 지도한다. 따라 쓸 수 있도록 샘플을 보여 준다.

인도자 하트를 보면 하나님의 사랑이 생각나요. 우리는 예수님의 이야기에 나오는 강도 만난 사람처럼 도움이 필요해요. 우리는 스스로를 죄에서 구원할 수 없어요. 우리가 죄에서 구원받기 위해 도움이 필요하다는 것을 아신 하나님은 우리를 불쌍히 여기셔서 예수님을 보내셨어요. **예수님이 우리를 사랑하시듯이 우리도 다른 사람을 사랑할 수 있어요.** 우리가 하나님처럼 도움이 필요한 사람들을 불쌍히 여기고 도와줄 때 사람들은 그런 우리를 보고 하나님의 사랑을 알게 된답니다.

붕대 놀이를 해요 *

준비물 ▶ 붕대(거즈, 두루마리 휴지)

❶ 붕대로 팔이나 다리를 감는 시범을 보여 준다.

❷ 아이들에게 번갈아 가며 서로의 팔과 다리를 감아 주라고 한다.

tip 너무 단단하게 감지 않도록, 두루마리 휴지를 너무 많이 사용하지 않도록 주의를 준다.

인도자 우리는 스스로를 죄에서 구원할 수 없어요. 오직 하나님만이 우리를 구원하실 수 있어요. 하나님은 우리를 불쌍히 여기셔서 예수님을 보내 우리를 죄에서 구원해 주셨어요. **예수님이 우리를 사랑하시듯이 우리도 다른 사람을 사랑할 수 있어요.** 도움이 필요한 사람들을 불쌍히 여기고 아픈 곳에 붕대를 감아 주며 도와줄 때 사람들은 하나님의 사랑을 알게 돼요.

일회용 밴드를 분류해요 *

준비물 ▶ 다양한 크기와 모양의 일회용 밴드, 작은 통

❶ 작은 통에 다양한 종류의 일회용 밴드를 하나씩 넣어 둔다.

❷ 나머지 일회용 밴드들을 책상 위에 뒤섞어 놓은 뒤 아이들에게 알맞은 통에 넣어 분류해 보라고 한다.

인도자 **예수님이 우리를 사랑하시듯이 우리도 다른 사람을 사랑할 수 있어요.** 예수님이 우리 대신 십자가에서 죽으시기까지 우리를 사랑해 주시기 때문이에요. 우리에게 베푸신 하나님의 큰 사랑을 전하는 가장 좋은 방법은 다른 사람을 돕는 거예요. 상처에 밴드를 붙여 주면서요! 사마리아인처럼 하나님의 사랑을 표현하기 위해 도와주고 싶은 사람은 누구인가요?

색깔 로션으로 손가락 그림을 그려요 *

준비물 ▶ 미술용 앞치마, 작은 플라스틱 그릇, 플라스틱 숟가락, 베이비 로션, 수성 물감, 전지

❶ 작은 플라스틱 그릇 여러 개에 베이비 로션을 짜 둔다.

❷ ❶에 다양한 색깔의 수성 물감을 각각 몇 방울씩 떨어뜨린다.

❸ 플라스틱 숟가락으로 베이비 로션과 수성 물감을 섞으며 아이들에게 색깔의 변화를 관찰하게 한다.

❹ 전지를 깔고, 아이들에게 미술용 앞치마를 입힌 후, 색깔 로션을 손에 묻혀 종이에 그림을 그려 보라고 한다.

❺ 활동이 끝난 후 비누로 손을 깨끗이 씻을 수 있도록 지도한다.

인도자 강도 만난 사람을 도와준 사람은 사마리아인이었어요. 우리도 강도 만난 사람처럼 도움이 필요했어요. 우리 스스로를 죄에서 구원할 수 없으니까요. 하나님은 우리를 불쌍히 여기시고 예수님을 보내셔서 우리를 죄에서 구원해 주셨어요. **예수님이 우리를 사랑하시듯이 우리도 다른 사람을 사랑할 수 있어요.** 그때 변화된 로션의 색깔처럼 우리도 변하고, 우리가 사랑한 사람도 놀랍게 변할 거예요.

소곤소곤 꿀~꺽 간식

준비물 ▶ 꿀떡, 과일 주스

❶ 카운트다운 영상, 정리하기 노래 등을 활용해 활동이 끝났음을 알린다. 아이들에게 주변을 정리하게 하고, 화장실에 가거나 물티슈 등을 이용해 손을 씻을 시간을 준다.

❷ 감사 기도를 드리고 꿀떡과 과일 주스를 간식으로 나누어 준다. 아이들에게 옆에 있는 친구에게 간식을 나누어 주라고 한다. 예수님이 우리를 사랑하시듯이 우리도 다른 사람을 사랑해야 한다고 일러 준다. 우리도 예수님의 이야기에 나오는 길에 쓰러져 있던 남자와 같이 도움이 필요했는데, 하나님이 예수님을 보내 우리를 죄에서 구원하셨다고 이야기해 준다. 우리가 하나님의 사랑을 표현하는 가장 좋은 방법은 먹을 것을 친구에게 나누어 주거나, 친구의 이야기를 잘 들어 주고, 힘든 친구를 도와주는 등 다른 사람을 돕는 것이라고 일러 준다.

❸ 간식을 먹은 후 마무리 정리를 잘하도록 지도한다.

오순도순 마무리

준비물 ▶ 유치부 교재 37쪽 메시지 카드, 소그룹 활동지, 파일

❶ 이번 주 메시지 카드로 부모님과 함께 오늘 배운 성경 이야기를 나누어 보라고 한다.

가족과 활동해요

- 쿠키를 구워 가까운 119 소방서에 선물해 주세요. 다친 사람들을 돕는 소방대원들의 수고에 감사 인사를 드리세요.
- 소방대원과 환자를 위해 기도하는 시간을 가지세요.

❷ 나만의 기록장에 기록할 내용을 소개하고, 소그룹 활동지를 떼어 파일에 끼운 뒤 가방에 정리하게 한다.

❸ 아이들을 위해 기도한다.

인도자 하나님, 우리를 죄에서 구원하기 위해 아들을 보내셨지요. 우리를 그처럼 많이 사랑해 주셔서 감사해요. 하나님이 우리를 사랑하시듯 우리도 다른 사람을 사랑하고, 도우며, 하나님의 사랑을 표현할 수 있도록 도와주세요. 예수님의 이름으로 기도합니다. 아멘.

❹ 아이를 데리러 온 부모에게 아이가 특별히 즐거워했거나 잘했던 활동들에 대해 이야기해 주고, 가정에서 성경 읽기와 가족 활동을 진행할 수 있도록 격려한다.

나만의 기록장

다른 사람을 도와주는 내 모습 그리기

가스펠 프로젝트

복음 초청 가이드

나를 위한 하나님의 멋진 계획

'복음'이라는 말을
들어 본 적 있니?
복음이란
'좋은 소식'이라는
뜻이야.
우리에게 보내신
하나님의 좋은 소식이
무엇일까?

하나님은 세상을 만드셨단다

하나님이 세상을 만드시고, 사람을 만드셨어. 그리고 사랑하셨지.
(창 1:1; 골 1:16~17; 계 4:11)

사람들은 죄를 짓고 하나님을 떠났어

그런데 사람들이 죄를 지어서 하나님과 함께 살 수 없게 되었어.
결국 죽을 수밖에 없게 되었지.
(롬 3:23, 6:23)

하나님은 구원 계획을 갖고 계시단다

하나님은 우리를 사랑하셔서 우리가 하나님과 함께 살기 원하셨어.
그래서 우리(너)를 위한 놀라운 계획을 세우셨단다.
(요 3:16; 엡 2:8~9)

예수님이 우리에게 생명을 주셨어

하나님은 아들 예수님을 보내셨고, 예수님은 우리 죄를 대신해 십자가에서 죽으시고, 3일 만에 다시 살아나셨어. 우리에게 영원한 생명을 주시고 하나님과 함께 살 수 있는 길을 열어 주신 거야.
(롬 5:8; 고후 5:21; 벧전 3:18)

예수님! 우리의 마음에 오세요!

예수님을 믿고 마음에 받아들이면 하나님의 자녀가 된단다.
이것이 가장 좋은 소식, 복된 소식, 복음이란다.
(요 1:12~13; 롬 10:9~10, 13)

예수님을 영접하기 원하는 어린이가 있다면 개인적으로 상담하고 영접 기도를 할 수 있도록 도와주세요.

예수님이 ○○를 사랑하시는 것을 믿겠니?
예수님이 ○○의 죄를 씻어 주신 것을 믿겠니?
예수님을 ○○의 마음에 받아들이겠니?

믿음을 고백하고 예수님을 영접하기 원하는 어린이를 위해 간절히 기도해 주세요.

이제 ○○는 하나님의 자녀(아들, 딸)가 되었어!
이것이 예수님을 통해 ○○에게 이루어 주신 하나님의 계획이야!
○○야, 하나님의 자녀(아들, 딸) 된 것을 축하해!

4
3가지 비유

[눅 15장]

주제	예수님은 하나님의 사랑에 대해 가르치셨어요.
예수님 생각하기	예수님은 잃어버린 것들을 찾은 사람들의 이야기를 들려주셨어요. 예수님은 이 이야기들을 통해 자신이 어떤 분인지 가르쳐 주셨어요. 예수님은 잃어버린 사람들, 즉 하나님을 모르는 사람들을 찾으세요. 예수님은 사람들을 죄에서 구원하기 위해 자기 목숨을 버리셨어요.

단원 암송	막 6:34
성경의 초점	예수님은 왜 이야기를 들려주셨나요? 하나님과 하나님 나라에 대해 가르치시기 위해서예요.

본문 속으로

누가복음 19장에서 예수님은 세리장 삭개오를 찾아가셨습니다. 삭개오는 사람들에게 미움을 받았지만, 예수님과 만난 후 자신의 잘못을 회개했습니다. 예수님은 삭개오에게 "인자가 온 것은 잃어버린 자를 찾아 구원하려 함이니라"(눅 19:10)라고 말씀하셨습니다.

잃어버린 자는 누구일까요? 잃어버렸다는 것은 무슨 의미일까요? 누가복음 15장에서 예수님은 세리, 죄인, 바리새인, 서기관들로 이루어진 무리에게 3가지 비유를 들려주셨습니다. 예수님은 불의로 하나님에게서 멀어진 세리와 죄인들뿐만 아니라, 자신의 의로운 노력으로 구원을 얻으려던 바리새인과 서기관들에게도 진정한 복음이 무엇인지를 분명히 가르쳐 주셨습니다.

처음 두 비유는 비슷합니다. 첫 번째 비유에서 어떤 사람이 양 한 마리를 잃어버립니다. 그는 양 떼를 들에 두고 잃어버린 양 한 마리를 찾아 나섰고, 양을 발견하자 매우 기뻐합니다. 두 번째 비유에서는 한 여인이 은화 하나를 잃어버립니다. 여인은 집 안 구석구석을 살펴 결국 잃어버린 은화를 찾아냅니다. 그리고 이웃과 친구를 불러 함께 기뻐합니다. 예수님은 죄인 한 명이 회개할 때 하늘나라에서 이렇게 기뻐한다고 말씀하셨습니다. 마지막으로 예수님은 두 아들 비유를 들려주셨습니다. 아버지의 유산을 미리 받은 작은아들은 방탕한 생활로 돈을 허비한 후 아버지에게 돌아가기로 했습니다. 아버지는 망나니 아들을 내치기는커녕 감싸 안아 주었습니다. 늘 아버지에게 순종적이었던 큰아들은 화를 냈습니다.

누가복음 15장을 읽을 때 예수님이 누구에게 이 말씀을 하고 계시는지 염두에 두어야 합니다. 사람들은 보통 세리와 죄인들을 대표한다고 할 수 있는 작은아들에게만 눈길을 줍니다. 하지만 예수님은 큰아들에게 중점을 두고 말씀하셨습니다. 큰아들은 바리새인과 서기관 같은 사람이었습니다. 그들은 자신의 도덕성을 과신하며 스스로 아버지의 사랑을 받을 자격이 있다고 생각했습니다.

●● 티칭 포인트

예수님은 하나님이 어떤 분이신지 가르쳐 주셨습니다. 하나님은 하나님을 떠나 방황하는 죄인들을 찾으십니다. 하나님은 선한 일로 구원을 얻으려는 죄인들도 찾으십니다. 아이들을 가르칠 때 아이들이 '잃어버린 자'라는 말의 뜻을 이해할 수 있도록 도와주십시오. '잃어버린 자'란 예수님이 주님이시며 구원자 되심을 알지 못하는 사람을 말합니다. 하나님은 우리를 사랑하십니다. 그래서 죄인들을 돌아오게 하려고 부단히 애쓰십니다.

이야기 성경

3가지 비유

누 15장

많은 사람이 예수님의 가르침을 들으려고 왔어요. 종교 지도자들은 죄인들이 예수님의 말씀을 들으러 오는 것이 싫었어요. 예수님이 죄를 짓는 사람들의 친구가 되시면 안 된다고 생각했기 때문이에요. 그래서 예수님은 종교 지도자들에게 하나님에 대해 가르쳐 주려고 3가지 이야기를 들려주셨어요.

예수님이 말씀하셨어요. "양 100마리를 가진 사람이 그중 한 마리를 잃어버리면 99마리를 들판에 버려두고 잃어버린 양 한 마리를 찾을 때까지 돌아다닌다. 그러다 양을 발견하면 양을 안고 집으로 돌아온다. 그리고 친구와 이웃을 불러 '우리 함께 즐거워하자! 내가 잃어버린 양을 찾았다!'라고 말한다."

예수님은 이야기의 뜻을 알려 주셨어요. "하늘나라도 마찬가지다. 회개할 것 없는 99명의 의인보다 회개하고 하나님께 돌아온 죄인 하나 때문에 더 기뻐한다."

그런 다음 예수님은 두 번째 이야기를 들려주셨어요. "한 여인에게 10개의 은화가 있는데, 그중 하나를 잃어버리면 불을 켜고 빗자루로 쓸며 은화를 찾을 때까지 집 안을 살핀다. 그러다 은화를 발견하면 친구와 이웃을 불러 '우리 함께 즐거워하자! 내가 잃어버린 은화를 찾았다!'라고 말한다."

예수님은 두 번째 이야기의 뜻도 알려 주셨어요. "하늘나라도 마찬가지다. 죄인 한 사람이 회개하고 하나님께 돌아오면 하나님의 천사들이 이렇게 기뻐한다."

마지막으로, 예수님은 세 번째 이야기를 들려주셨어요. "어떤 사람에게 두 아들이 있었다. 작은아들이 '아버지, 아버지가 돌아가시면 받게 될 유산을 오늘 주세요'라고 말했다. 그래서 아버지는 아들에게 그의 몫을 미리 주었다.

작은아들은 집을 나가 먼 나라로 갔다. 그러고는 어리석게 살며 돈을 다 써 버렸다. 아들에게 돈이 다 떨어졌을 때 그 나라에 흉년이 찾아와 먹을 것이 없었다. 아들은 돼지 치는 일을 했지만, 너무 배가 고파서 돼지 먹이조차 맛있어 보였다. 하지만 그마저도 먹을 수가 없었다. 작은아들은 자기 잘못을 후회했다. '아버지 집에는 일꾼들도 먹을 것이 많은데, 나는 여기서 굶어 죽겠구나. 나는 아버지의 아들이 될 자격이 없으니 일꾼이라도 되게 해 달라고 아버지께 부탁드려야겠다'라고 말했다.

작은아들은 집을 향해 나섰다. 아직 멀리 있는데 아버지가 아들을 알아보고 달려왔다. 그러고는 아들을 와락 끌어안고 입을 맞추었다. 아들은 용서를 구하기 시작했다. 하지만 아버지는 종들에게 '제일 좋은 옷을 가져와 내 아들에게 입혀라! 잔치를 벌이자! 내 아들을 잃어버렸다가 다시 찾았다!'라고 말했다.

이때 들에 있던 큰아들이 집에 와 '무슨 일이냐?'라고 종에게 물었다. '동생이 돌아와 아버지가 잔치를 벌이셨습니다. 무척 기뻐하고 계십니다'라고 종이 대답했다. 큰아들은 화가 났다. 아버지가 나와서 잔치에 같이 가자고 했다. 그러나 큰아들은 들어가지 않았고, '제발 좀 들어 보십시오! 저는 아버지를 위해 열심히 일했습니다. 아버지께 거역한 적도 없습니다. 그런데도 저를 위해 잔치를 벌이신 적이 있습니까?'라고 말했다. 아버지가 말했다. '아들아, 어차피 내가 가진 것이 다 네 것이다. 오늘은 네 동생을 잃어버렸다가 다시 찾은 날이니 함께 즐거워하고 기뻐하자!'"

●● 예수님 생각하기

예수님은 잃어버린 것들을 찾은 사람들의 이야기를 들려주셨어요. 예수님은 이 이야기들을 통해 자신이 어떤 분인지 가르쳐 주셨어요. 예수님은 잃어버린 사람들, 즉 하나님을 모르는 사람들을 찾으세요. 예수님은 사람들을 죄에서 구원하기 위해 자기 목숨을 버리셨어요.

가스펠 준비

싱글벙글 환영해요

DVD "하나님 나라는"(지도자용 팩)을 튼다. 아이들을 반갑게 맞이하며 헌금과 기도를 도와준다. 예배 중 헌금 순서가 있다면 아이들이 헌금을 잘 간수하도록 돕는다. 가방과 외투를 정리하도록 안내한다. 새로 온 아이가 있다면 음수대와 화장실의 위치를 알려 주고, 보호자와 만나는 시간과 방법 등을 소개한다. 보호자들을 위한 안내문을 붙여 아이와 만나는 시간, 기다리는 장소, 헌금 방법, 아이에 대한 특별한 주의 사항을 교사에게 미리 알려 달라는 당부 등을 공지한다.

너랑 나랑 마음 열기

주제와 관련 있는 퍼즐이나 블록 등 아이들이 좋아하는 장난감을 몇 가지 비치해 두고 다양한 활동을 하며 예배를 준비하도록 돕는다. 아이들이 마음을 열고 오늘의 주제에 관심을 갖게 하며 예배에 집중할 수 있도록 도와준다. 교회 형편에 맞게 시간과 활동 방법을 조절한다.

양을 찾아요 *

준비물 ▶ 솜, 바구니

❶ 솜뭉치를 예배실 곳곳에 뿌려 둔다. 아이들은 '목자'이고 솜뭉치는 '양'이고, 바구니는 '양 우리'라고 말해 준다.

❷ 인도자가 바구니를 든 채 "출발!"을 외치면 '목자'들이 예배실 곳곳에 흩어진 '양'을 모두 찾아 '양 우리'에 넣으면 된다는 게임의 규칙을 설명한다.

❸ 시간 여유가 있으면 활동을 반복한다.

인도자 오늘의 성경 이야기에서 예수님은 3가지 이야기를 들려주셨어요. 그중에서 하나는 목자와 잃어버린 양에 대한 이야기예요. 이야기를 잘 듣고 목자가 잃어버린 양 한 마리를 찾기 위해 어떻게 했는지 알아보아요. 목자가 한 행동은 하나님의 자녀 한 명을 찾기 위해 하나님이 하신 행동과 같답니다. 이제 말씀을 잘 들어 보세요!

아버지는 우리를 사랑하세요 *

❶ 아이들의 아버지 한 분을 초대한다.

tip 유치부 아이들의 아버지 중 유치부 예배에 오실 수 있는 한 분께 2주 전에 미리 부탁을 드린다. 유치부 아이들의 아버지를 초대하기 힘든 경우, 남자 교사가 대신해도 좋다.

❷ 아버지에게 자신은 누구누구의 아버지라고 소개한 후 아이들을 위해 민수기 6장 24~26절을 읽어 주고, 하나님 아버지께서 아이들을 얼마나 사랑하시는지를 전하며, 축복 기도를 해 달라고 부탁한다.

❸ 아이들과 함께 다 같이 큰 소리로 "아버지, 우리도 아버지를 사랑해요!", "하나님 아버지, 우리도 하나님 아버지를 사랑해요!"라고 외치며 활동을 마무리한다.

인도자 아버지는 하나님이 주신 선물이에요. 하나님 자신이 최고의 아버지이기도 하시고요. 오늘의 성경 이야기에서 예수님은 아버지와 두 아들의 이야기를 들려주셨어요. 한 아들은 아주 어리석은 결정을 내렸고, 다른 아들은 아버지의 마음을 헤아리지 못했어요. 하지만 아버지는 자녀들을 사랑하는 좋은 아버지이기 때문에 어떤 결정을 내리든 어떤 마음을 품든 두 아들 모두를 사랑했어요. 이야기를 잘 듣고 '아버지'가 누구를 가리키는지 생각해 보세요.

예배 대형으로 모이기

- 카운트다운 영상, 모이기 노래 등을 활용해 예배 대형으로 바꾸고 마음을 준비하게 한다.
- 공간을 이동해야 한다면 양의 소리를 흉내 내며 가도록 한다.

가스펠 설교

하나 — 들어가기

인도자가 말하는 사건을 듣고 함께 기뻐하고 즐거워할 일이라고 생각되면 펄쩍 뛰거나, 손뼉을 치거나, 환호성을 지르는 등 마음껏 표현해 보라고 한다.

예) "새 강아지가 생겼어요", "오늘은 내 생일이에요", "새로운 일을 하는 법을 배웠어요", "크리스마스예요", "동생이 태어났어요" 등.

오늘의 성경 이야기에서 예수님은 하나님과 하나님의 천사들이 모두 기뻐하고 즐거워하는 일이 무엇인지를 가르쳐 주셨어요. 궁금하지요? 잘 들어 보세요.

둘 — 성경 이야기

DVD 누가복음 15장을 편다. 설교 영상(지도자용 팩)을 보여 주거나 이야기 성경을 들려준다.

성경 말씀은 모두 진짜예요. 하나님의 말씀이 성경에 들어 있고, 하나님의 말씀은 모두 진짜이기 때문이에요! 오늘의 성경 이야기는 신약성경 중에 '누가복음'에 나온답니다.

셋 — 메시지와 정리

예수님은 하나님의 사랑에 대해 가르치셨어요. 사랑의 하나님은 우리가 하나님을 사랑하지 않을 때도 우리를 찾으러 오세요. 목자가 자기 양을 찾아다니고, 여인이 자기 은화를 찾으려고 집을 살핀 것처럼 말이에요. 그리고 이야기 속 아버지처럼요. 하나님은 우리가 착한 일을 한다고 더 사랑하시지도, 나쁜 일을 한다고 덜 사랑하시지도 않으세요. 하나님은 우리 아버지이시기 때문에 우리를 무조건 사랑하세요.

DVD 연대표(지도자용 팩)를 가리키면서 복습 질문을 한다.

1. 예수님의 가르침을 들으러 온 사람들 중에 종교 지도자들이 싫어한 사람들은 누구였나요? 죄인들
2. 목자가 잃어버린 양은 모두 몇 마리였나요? 한 마리
3. 여인은 잃어버린 은화를 찾은 후 어떻게 했나요? 친구와 이웃을 불러 즐거워했다
4. 이야기에 나오는 작은아들은 아버지에게 받은 돈을 어떻게 했나요? 어리석은 일을 하며 다 써 버렸다

5. 작은아들은 집에 돌아가 아버지에게 어떻게 부탁할 생각이었나요? 자기를 아버지의 일꾼으로 삼아 달라고
6. 아버지는 돌아온 작은아들을 보고 어떻게 했나요? 달려가 와락 끌어안고 입을 맞춘 뒤, 좋은 옷을 가져와 아들에게 입히라고 말하고, 큰 잔치를 벌였다
7. 큰아들은 동생이 돌아와 기뻤나요? 아니다, 화가 났다

넷 — 성경의 초점

종교 지도자들은 사람들이 어떤 행동을 하든 하나님이 그들을 사랑하신다는 것을 이해하지 못했어요. 그래서 예수님은 그들에게 하나님의 사랑을 가르쳐 주려고 3가지 이야기를 들려주셨어요. **예수님은 왜 이야기를 들려주셨나요? 하나님과 하나님 나라에 대해 가르치시기 위해서예요.**

다섯 — 복음 초청

성경과 48쪽 복음 초청 가이드를 이용해서 아이들에게 그리스도인이 되는 법을 설명해 준다. 따로 상담해 줄 사람을 정해 주고 궁금한 점이 있으면 물어보도록 격려한다.

이 시간 예수님을 믿고 마음에 모시고 싶은 친구는 함께 기도해요.

여섯 — 기도

하나님, 이야기 속에서 작은아들은 자기가 잘못을 저질러서 아버지가 더 이상 자기를 사랑하지 않을 것이라고 생각했지만 아버지는 그를 사랑했어요. 하나님도 우리를 이렇게 사랑해 주신다는 것을 알았어요. 우리가 무엇을 잘해서가 아니고 하나님이 우리의 아버지이시기 때문이지요. 하나님, 우리를 사랑해 주셔서 감사해요. 하나님의 사랑을 모르는 사람들에게 이 사랑을 전하고 싶어요. 예수님의 이름으로 기도합니다. 아멘.

일곱 — 암송송

성경에서 마가복음 6장 34절을 펴고 큰 소리로 여러 번 따라 읽게 한다.

예수님은 우리를 죄에서 구원하고 하나님이 어떤 분이신지 알려 주려고 이 땅에 오셨어요. 예수님은 사람들을 사랑하세요. 또한 예수님은 사람들에게 하나님이 그들을 사랑하신다는 사실을 알리기 원하세요.

암송송(162쪽)에 맞추어 손유희를 하며 말씀을 익힌다.

"예수께서 나오사 큰 무리를 보시고 그 목자 없는 양 같음으로 인하여 불쌍히 여기사 이에 여러 가지로 가르치시더라"(막 6:34).

가스펠 소그룹

알콩달콩 말씀 놀이

무엇을 찾고 있나요?

준비물 ▶ 유치부 교재 10쪽, 색연필

이야기 나누기

- 양을 잃어버린 목자는 어떤 마음이었을까요? 그는 어떻게 했나요?
- 아버지는 어리석은 일을 한 아들이 돌아오자 어떻게 했나요? 왜 그렇게 했을까요?
- 잃어버린 은화를 찾은 여인은 어떻게 했나요?

❶ 아이들에게 3가지 비유를 다시 한 번 요약해서 들려준다.

❷ 목자가 잃어버린 양을, 여인이 잃어버린 은화를, 아버지가 잃어버린 아들을 찾을 수 있도록 도와주자고 한다. 색연필을 이용해 알맞게 선을 긋도록 지도한다.

tip 3가지 비유를 하나씩 들려주면서 미로 찾기를 완성하게 해도 좋다.

인도자 와! 처음에는 정말 어려운 미로처럼 보였는데, 사실은 아주 쉬운 길이었군요. 3가지 비유 중에서 아버지는 잃어버린 아들에게 곧장 달려갔어요. 잃어버린 아들을 찾아 정말 기뻐했지요. 길을 찾느라 시간을 허비하지 않았어요. 잘 도와주어 고마워요! 예수님은 우리를 죄에서 구원하고, 하나님이 어떤 분이신지 알려 주려고 이 땅에 오셨어요. **예수님은 하나님의 사랑에 대해 가르치셨어요.** 예수님은 사람들을 사랑하세요. 또한 예수님은 사람들에게 하나님이 그들을 사랑하신다는 사실을 알리기 원하세요.

우리 집에 왜 왔니? *

❶ "우리 집에 왜 왔니?" 노래를 개사해 여러 번 부르며 익힌다.

예) • A팀 : "우리 집에 왜 왔니? 왜 왔니? 왜 왔니?"
• B팀 : "사랑하는 친구를 찾으러 왔단다!"

• A팀 : "어떤 친구 찾으러 왔느냐? 왔느냐?"
• B팀 : "○○○를 찾으러 왔단다! 왔단다!"
• A·B팀 : "가위바위보!"

tip 전지에 매직펜으로 개사한 가사를 적어 예배실 앞쪽에 붙여 놓고 활동해도 좋다.

❷ 아이들을 2팀으로 나누고, 팀별로 옆으로 길게 한 줄로 세운 후 팀끼리 마주 보게 한다.

❸ 팀원들끼리 손을 잡고 ❶을 부르면서 "우리 집에 왜 왔니?" 게임을 여러 번 반복한다.

인도자 **예수님은 하나님의 사랑에 대해 가르치셨어요.** 하나님은 모든 사람을 사랑하세요. 우리는 이 사실을 "하나님이 우리를 죄에서 구원하기 위해 자기 아들을 보내셨다"라고 말하는 성경 말씀을 보고 알 수 있어요. 예수님은 잃어버린 사람들을 찾으세요. 하나님이 사랑의 아버지이시라는 사실을 모르는 사람들을 찾고 계시지요. 그리고 예수님은 하나님 아버지의 사랑을 보여 주기 위해 사람들을 죄에서 구원하려고 자기 목숨을 버리셨어요. 하나님의 사랑을 받는 우리는 정말 행복한 사람들이에요.

잔치에 참여해요 *

준비물 ▶ 신나는 찬양 음원, 음악을 재생할 수 있는 도구(스마트폰, CD플레이어), 책상, 식탁보, 간식

❶ 예배실 한쪽을 잔치 장소로 정하고, 책상 위에 식탁보를 깔고 간단한 간식을 준비해 둔다.

❷ 인도자가 '아버지' 역할을 맡고 나머지 아이들에게는 '아들'의 역할을 맡긴다.

❸ 신나는 찬양을 작은 소리로 틀어 놓고, 음악이 나오는 동안 '아버지'가 걸어가 '아들' 한 명의 손을 잡고 잔치 장소로 데려간다.

❹ 잔치 장소로 간 '아들'은 '아버지'가 다른 '아들'을 데려올 동안 춤을 추어야 한다고 말해 준다. 모든 '아들'이 잔치 장소로 올 때까지 활동을 반복한다.

❺ '아들'이 다 모이면 음악을 크게 틀고 함께 춤을 추다가 '아버지'가 "사랑하는 아들을 찾았다! 다 함께 기뻐하라!"라고 외치면 차려 놓은 간식을 다 같이 먹는다.

인도자 **예수님은 하나님의 사랑에 대해 가르치셨어요.** 이야기에 나오는 큰아들은 아버지가 동생을 위해 잔치를 벌이자 화를 냈어요. 잔치에 오려고 하지도 않았어요. 하지만 아버지는 큰아들에게 화내지 않았어요. 오히려 함께 집에 들어가자고 부탁했어요. 작은아들도, 큰아들도 모두 똑같이 사랑한 아버지처럼, 하나님도 우리를 사랑하고 계세요. 작은아들처럼 우리가 잘못을 저지른다고 해도 하나님은 우리를 사랑하세요. 하나님이 자기를 더 사랑하시게 만들 수 있을 것이라는 생각으로 착한 일을 한다고 해도 우리를 향한 하나님의 사랑에는 변함이 없답니다. 예수님은 사람들을 죄에서 구원하기 위해 자기 목숨을 버리심으로 하나님 아버지의 사랑을 보여 주셨어요.

예배실을 청소해요 *

준비물 ▶ 동전, 다양한 청소 도구(빗자루, 대걸레, 먼지떨이, 솔 등)

❶ 예배실에 동전 한 개를 미리 숨겨 둔다.

❷ 아이들에게 동전 한 개를 잃어버렸다고 이야기한 후 다 같이 예배실을 청소하며 찾아 보자고 말한다.

❸ 아이들이 동전을 찾으면 "잃어버린 동전을 찾았다! 다 함께 기뻐하라!" 하고 외친 후 아이들과 함께 박수하고 함성을 지르며 기뻐한다.

인도자 **예수님은 하나님의 사랑에 대해 가르치셨어요.** 예수님은 은화를 잃어버린 여자의 이야기를 들려주셨어요. 여인은 은화를 찾기 위해 온 집 안을 쓸며 샅샅이 살폈어요. 마침내 은화를 발견하자 친구와 이웃을 불러 "우리 함께 즐거워하자! 내가 잃어버린 은화를 찾았다!"라고 말했어요. 예수님은 죄인 한 사람이 잘못을 뉘우치고 하나님께 돌아오면 하나님과 하나님의 천사들도 이렇게 기뻐한다고 말씀하셨어요.

잃어버린 것을 찾아요 *

준비물 ▶ 169쪽 '잃어버린 것' 그림(또는 지도자용 팩), 가위

❶ 169쪽 '잃어버린 것' 그림(또는 지도자용 팩)을 잘라 카드로 만든 후 예배실 곳곳에 미리 숨겨 둔다.

❷ 아이들에게 예배실에 4개의 '잃어버린 것' 카드가 숨겨져 있으니 찾아 보라고 한다.

❸ 아이들이 카드를 한 장씩 찾을 때마다 "찾았다!" 하고 다 같이 큰 소리로 외치고, 모든 아이가 손뼉을 치고, 점프하고, 축하해 주면서 기쁨을 나눌 수 있도록 지도한다.

❹ '잃어버린 것' 카드를 다 찾으면 활동을 한 번 더 반복한다.

인도자 **예수님은** 잃어버린 것을 찾은 3가지 비유를 통해 **하나님의 사랑에 대해 가르치셨어요.** 예수님은 이 이야기들을 통해 자신이 어떤 분인지를 가르쳐 주셨어요. 예수님은 잃어버린 사람들, 즉 하나님을 모르는 사람들을 찾으세요. 예수님은 사람들을 죄에서 구원하기 위해 자기 목숨을 버리심으로 하나님 아버지의 사랑을 보여 주셨어요.

색깔 점토로 잔치 음식을 만들어요 *

준비물 ▶ 색깔 점토, 점토 칼, 소꿉놀이용 접시와 그릇

❶ 아이들에게 색깔 점토를 나누어 주고, 잔치에 쓸 음식을 만들어 보자고 이야기한다.

❷ 아이들이 만든 작품을 담을 수 있게 소꿉놀이용 접시와 그릇을 나누어 준다. 안전하게 보관해 두었다가 집에 가져갈 수 있도록 지도한다.

인도자 **예수님은 하나님의 사랑에 대해 가르치셨어요.** 이야기에 나오는 작은아들은 자기가 더 이상 아버지의 아들이 될 자격이 없다고 생각했어요. 하지만 아버지는 아들이 일꾼이라도 되게 해 달라고 부탁할 기회조차 주지 않았어요. 오히려 아들을 끌어안고, 입을 맞추고, 맛있는 음식들을 차려 놓고 많은 사람을 초대해 큰 잔치를 벌였지요. 우리가 죄에서 돌이켜 예수님께 돌아올 때 하나님도 이렇게 기뻐하며 잔치를 벌이세요. 예수님은 우리를 죄에서 구원하기 위해 자기 목숨을 버리셨어요. 우리의 죄를 용서하시는 하나님 아버지의 사랑을 우리는 예수님을 통해 알 수 있어요.

거꾸로 숨바꼭질 놀이를 해요 *

준비물 ▶ 안대(눈을 가릴 수 있는 천)

❶ 한 아이를 술래로 정하고 안대로 눈을 가린 뒤, 술래가 큰 소리로 1~10까지 세는 동안 나머지 아이들은 숨으라고 한다.

❷ 술래에게 잡힌 아이는 예배실 가장자리에 앉아 술래 편이 되어 술래가 다른 아이를 찾을 수 있도록 말로 안내하게 한다.

❸ 술래가 모든 아이를 찾으면 다른 술래를 세워 시간 여건에 맞게 게임을 계속한다.

인도자 **예수님은 하나님의 사랑에 대해 가르치셨어요.** 술래가 한 사람도 빠짐없이 모든 아이를 찾으려 애썼던 것처럼 하나님은 잃어버린 사람들을 찾으세요. 성경 이야기에 나오는 작은아들은 자기가 더 이상 아버지의 아들이 될 자격이 없다는 것을 알고 아버지의 일꾼이라도 되게 해 달라고 부탁하려 했어요. 그러나 아버지는 큰 사랑으로 아들을 반기고 기뻐했지요. 우리가 죄에서 돌이켜 하나님께 돌아올 때 하나님도 이렇게 기뻐하며 잔치를 벌이세요. 하나님은 끝없는 사랑으로 하나님의 자녀들이 돌아오기를 기다리고 계세요.

소곤소곤 꿀~꺽 간식

준비물 ▶ 아이들이 준비해 온 음식

tip 미리 공지해 아이들이 좋아하는 음식을 간식으로 준비해 올 수 있도록 지도한다.

❶ 카운트다운 영상, 정리하기 노래 등을 활용해 활동이 끝났음을 알린다. 아이들에게 주변을 정리하게 하고, 화장실에 가거나 물티슈 등을 이용해 손을 씻을 시간을 준다.

❷ 감사 기도를 드리고 아이들이 준비해 온 특별한 음식을 함께 나누어 먹는다. 이야기에 나오는 아버지가 아들이 돌아오자 최고의 음식으로 큰 잔치를 벌였던 오늘의 성경 이야기를 떠올려 준다. 자기가 잘못된 행동을 해서 아버지가 더 이상 자기를 사랑하지 않을 것이라고 생각했던 아들조차 사랑한 아버지처럼, 하나님은 우리를 사랑하신다고 이야기해 준다. 하나님은 우리가 무엇을 잘해서가 아니라, 우리의 아버지이시기 때문에 우리를 사랑하신다고 다시 한 번 말해 준다.

❸ 간식을 먹은 후 마무리 정리를 잘하도록 지도한다.

오순도순 마무리

준비물 ▶ 유치부 교재 39쪽 메시지 카드, 소그룹 활동지, 파일

❶ 이번 주 메시지 카드로 부모님과 함께 오늘 배운 성경 이야기를 나누어 보라고 한다.

가족과 활동해요

• 한 주 동안 아이들을 훈육할 때 아이들의 잘못된 결정을 바로잡은 뒤에 사랑을 쏟아부어 주세요. 맛있는 음식을 먹으러 간다거나, 마트에 가서 아이들이 정말 갖고 싶어 했던 물건을 사 주세요. "어떤 일이 있어도 아빠, 엄마와 하나님은 너를 사랑한다"라고 말해 주세요.

❷ 나만의 기록장에 기록할 내용을 소개하고, 소그룹 활동지를 떼어 파일에 끼운 뒤 가방에 정리하게 한다.

❸ 아이들을 위해 기도한다.

인도자 하나님, 하나님의 완전한 아들이신 예수님을 사랑하시는 것처럼 죄인인 우리를 사랑해 주셔서 감사해요. 우리의 죄를 없애기 위해 하나밖에 없는 아들, 예수님을 십자가에서 피 흘리게 하셨음을 믿어요. 하나님의 사랑을 기억하며 온 세상 사람에게 그 사랑을 전하며 살래요. 예수님의 이름으로 기도합니다. 아멘.

❹ 아이를 데리러 온 부모에게 아이가 특별히 즐거워했거나 잘했던 활동들에 대해 이야기해 주고, 가정에서 성경 읽기와 가족 활동을 진행할 수 있도록 격려한다.

나만의 기록장

아들을 찾고 기뻐하는 아버지의 얼굴 그리기

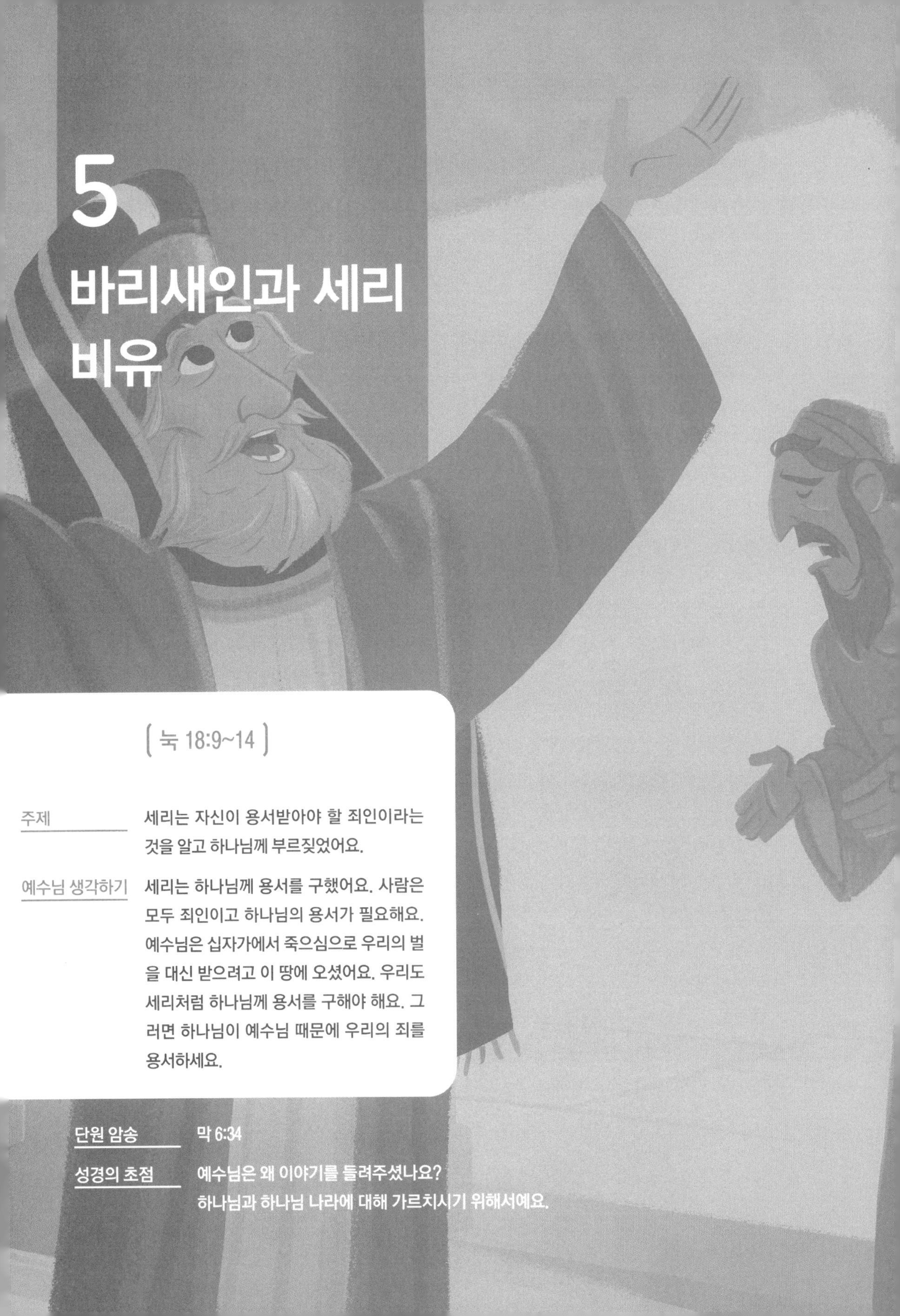

5

바리새인과 세리 비유

[눅 18:9~14]

주제	세리는 자신이 용서받아야 할 죄인이라는 것을 알고 하나님께 부르짖었어요.
예수님 생각하기	세리는 하나님께 용서를 구했어요. 사람은 모두 죄인이고 하나님의 용서가 필요해요. 예수님은 십자가에서 죽으심으로 우리의 벌을 대신 받으려고 이 땅에 오셨어요. 우리도 세리처럼 하나님께 용서를 구해야 해요. 그러면 하나님이 예수님 때문에 우리의 죄를 용서하세요.

단원 암송	막 6:34
성경의 초점	예수님은 왜 이야기를 들려주셨나요? 하나님과 하나님 나라에 대해 가르치시기 위해서예요.

본문 속으로

예수님은 예루살렘을 향해 걸어가고 계셨습니다. 그곳은 인자에 관해 기록된 모든 예언이 성취될 장소였습니다(눅 18:31~33 참조).

예수님은 마을에서 마을로 이동하시며 바리새인과 서기관, 세리와 죄인들, 그리고 제자들을 가르치셨습니다. 누가복음 18장 9~14절에 나오는 비유는 예수님이 특정한 사람들에게 들려주신 것입니다. 그들은 "자기를 의롭다고 믿고 다른 사람을 멸시하는 자들"(눅 18:9)이었습니다.

비유에는 성전에 기도하러 올라간 두 사람이 등장합니다. 한 사람은 바리새인으로, 그는 자신의 행위 때문에 자신이 의롭다고 믿는 사람이었습니다. 그는 자리에서 일어나 자신이 다른 사람과 같은 죄인이 아닌 것에 감사하는 기도를 드렸습니다. 또 한 사람은 세리였는데, 그는 겸손하게 자기 죄를 인정하고 하나님의 긍휼을 구하는 기도를 드렸습니다. 예수님은 바리새인이 아니라 세리가 하나님께 의롭다 하심을 받고 집으로 돌아갔다고 말씀하셨습니다.

● ● 티칭 포인트

아이들을 가르칠 때, 하나님은 교만한 자를 물리치시고 겸손한 자에게 은혜를 주시는 분이라고 설명해 주십시오(약 4:6 참조). 교만은 우리 자신의 죄를 보지 못하게 해 예수님께 나아갈 필요를 못 느끼게 합니다. 교만은 자신을 실제보다 더 나은 사람으로 생각하는 것입니다. 바리새인과 같은 마음을 가진 사람은 예수님을 필요로 하지 않습니다. 이야기 속의 바리새인은 자기가 지은 죄를 고백하는 것보다 짓지 않은 죄를 자랑하는 데 더 신경을 썼습니다. 반면 세리는 자신이 하나님 앞에 설 수 없는 존재임을 알았습니다. 그래서 그는 하나님께 용서를 구했고 하나님은 그에게 긍휼을 베푸셨습니다.

하나님은 바리새인을 보고 "우와, 대단한데!"라고 말씀하지 않으셨습니다. 이것은 우리에게도 마찬가지입니다. 하나님은 우리를 있는 그대로 보십니다. 용서가 필요한 죄인으로 말입니다. 예수님은 십자가에서 죽으심으로 우리가 받아야 할 죄의 벌을 대신 받으셨습니다. 하나님은 모든 사람이 구원받기를 바라십니다(딤전 2:4; 벧후 3:9 참조). 우리가 하나님께 나아가는 데는 믿음 말고 다른 것은 아무것도 필요 없다는 것을 알려 주십시오. 그저 이야기 속의 세리처럼 하나님께 부르짖으면 됩니다. 그러면 하나님은 예수님 때문에 우리를 용서하십니다.

이야기 성경

바리새인과 세리 비유

눅 18:9~14

예수님이 남을 얕보는 사람들을 만나셨어요. 그들은 자기가 최고라고 생각했어요. 예수님은 그들에게 교훈을 주시려고 이야기를 하나 들려주셨어요.

"두 사람이 성전에 기도하러 갔다. 한 사람은 바리새인인 종교 지도자였다"라고 예수님이 말씀하셨어요. 종교 지도자들은 하나님이 자신들을 사랑하시게 하려고 매우 열심히 노력했어요. 모든 규칙을 다 지키려고 했고, 심지어 하나님이 말씀하시지 않은 새로운 규칙도 만들어 냈지요.

이어서 예수님은 "다른 사람은 세리였다"라고 말씀하셨어요. 많은 세리가 부정직하고 불공평한 방법으로 세금을 걷었어요. 그래서 사람들은 세리들을 싫어했지요.

예수님은 말씀하셨어요. "성전에서 바리새인은 혼자 일어나 이렇게 기도했다. '하나님, 저는 다른 사람들처럼 욕심 부리지도 않고, 거짓말도 하지 않고, 믿음을 저버리지도 않는 사람이라서 감사합니다. 저는 저 세리와 다릅니다. 저는 일주일에 두 번 금식하고 십일조도 합니다.'" '금식'은 하나님을 높이고 하나님만 생각하기 위해 음식을 먹지 않는 것이고, '십일조'는 자기가 가진 것의 10분의 1을 하나님께 드리는 것을 말해요.

계속해서 예수님의 말씀을 들어 보세요. "세리는 멀리 서 있었다. 자기가 저지른 잘못이 죄송해서 고개도 들지 못했다. 그는 가슴을 치며 이렇게 기도했다. '하나님, 불쌍히 여겨 주십시오! 저는 죄인입니다!'"

바리새인의 기도와 세리의 기도는 몹시 달랐어요. 예수님은 하나님이 세리의 기도를 더 마음에 들어하시고, 그를 용서하셨다고 말씀하셨어요. 세리는 자신의 죄를 알고 하나님 앞에서 겸손했기 때문이에요. 하나님은 바리새인의 기도는 좋아하지 않으셨어요. 그는 자신의 죄를 회개하는 대신 의로운 행동을 자랑했어요. 예수님은 "누구든지 자기를 높이는 사람은 낮아지고, 자기를 낮추는 사람은 하나님이 높여 주실 것이다"라고 말씀하셨어요.

● ● 예수님 생각하기

세리는 하나님께 용서를 구했어요. 사람은 모두 죄인이고 하나님의 용서가 필요해요. 예수님은 십자가에서 죽으심으로 우리의 벌을 대신 받으려고 이 땅에 오셨어요. 우리도 세리처럼 하나님께 용서를 구해야 해요. 그러면 하나님이 예수님 때문에 우리의 죄를 용서하세요.

가스펠 준비

싱글벙글 환영해요

DVD "하나님 나라는"(지도자용 팩)을 튼다. 아이들을 반갑게 맞이하며 헌금과 기도를 도와준다. 예배 중 헌금 순서가 있다면 아이들이 헌금을 잘 간수하도록 돕는다. 가방과 외투를 정리하도록 안내한다. 새로 온 아이가 있다면 음수대와 화장실의 위치를 알려 주고, 보호자와 만나는 시간과 방법 등을 소개한다. 보호자들을 위한 안내문을 붙여 아이와 만나는 시간, 기다리는 장소, 헌금 방법, 아이에 대한 특별한 주의 사항을 교사에게 미리 알려 달라는 당부 등을 공지한다.

너랑 나랑 마음 열기

주제와 관련 있는 퍼즐이나 블록 등 아이들이 좋아하는 장난감을 몇 가지 비치해 두고 다양한 활동을 하며 예배를 준비하도록 돕는다. 아이들이 마음을 열고 오늘의 주제에 관심을 갖게 하며 예배에 집중할 수 있도록 도와준다. 교회 형편에 맞게 시간과 활동 방법을 조절한다.

바리새인과 세리의 흉내를 내면서 걸어요 *

준비물 ▶ 찬양, 음악을 재생할 수 있는 도구(스마트폰, CD플레이어)

❶ 아이들을 '바리새인 팀'과 '세리 팀'으로 나눈다.
❷ 찬양을 틀고, '바리새인 팀'은 고개를 뻣뻣하게 들고 거만하게 걸어 보고, '세리 팀'은 고개를 푹 숙이고 슬픈 표정으로 걸어 보라고 한다.
❸ 찬양을 잠시 멈추고 팀이 맡은 역할을 서로 바꾼다. 활동을 여러 번 반복한다.

인도자 오늘의 성경 이야기에서 예수님은 바리새인과 세리의 이야기를 들려주셨어요. 두 사람 모두 우리처럼 하나님의 구원이 필요했지요. 하지만 둘 중에 한 사람만 그 사실을 알았고, 다른 사람은 몰랐어요. 바리새인은 교만했고, 세리는 겸손했어요. 교만한 마음과 겸손한 마음의 태도가 어떻게 다른지 오늘의 성경 이야기를 더 자세히 들어 보세요.

비교를 해요 *

준비물 ▶ 비슷한 물건들(초록색 사과와 빨간색 사과/축구공과 야구공/여자 인형과 남자 인형/리코더와 오카리나/그림책과 글만 있는 책/플라스틱 블록과 나무 블록 등)

❶ 비슷한 물건들을 뒤섞어서 책상 위에 펼쳐 둔다.
❷ 아이들에게 비슷한 물건 2개씩을 찾아 보라고 한다.
❸ ❷를 하나씩 살펴보면서 공통점과 차이점을 이야기해 본다.

인도자 이 물건들은 서로 같기도 하고, 서로 다르기도 해요. 오늘의 성경 이야기에서 예수님은 두 가지 기도에 대한 이야기를 들려주셨어요. 두 사람이 모두 하나님께 기도했다는 점은 같지만 두 기도의 내용은 매우 달랐지요. 하나의 기도는 하나님이 기뻐하셨지만, 또 다른 기도는 기뻐하지 않으셨어요. 그 이유가 무엇인지 이야기를 잘 듣고 찾아보세요.

세금이 너무 많아요! *

준비물 ▶ 장난감 지폐, 바구니

❶ 아이들 중 한 명을 뽑아 '세리'의 역할을 맡기고 나머지 아이들은 '백성'이 되게 한다.
❷ '백성'에게 장난감 지폐를 4장씩 나누어 주고, 절반으로 나누어 양손에 각각 2장씩 쥐고 있도록 지도한다.
❸ '세리'에게 바구니를 들고 돌아다니면서 세금을 걷어 오라고 한다. '백성'에게 한쪽 손에 쥐고 있는 돈을 모두 세금으로 내야 한다고 말해 준다.
❹ 세금을 낼 때마다 '백성'에게 "세금이 너무 많아요!"라고 말하라고 한다.
❺ '세리'의 역할을 바꾸어서 활동을 여러 번 반복한다.

인도자 세리는 사람들에게 세금으로 정해진 돈보다 더 많은 돈을 달라고 했어요. 옳지 않은 방법으로 세금을 걷기도 했지요. 하지만 오늘의 성경 이야기에 나오는 세리는 자신의 죄를 인정하며 하나님께 용서를 구하는 겸손한 모습을 보여 주어요. 하나님은 이처럼 사람들이 자신의 죄를 인정하고 용서를 구할 때 기뻐하세요. 세리의 이야기를 잘 들어 보세요.

예배 대형으로 모이기

- 카운트다운 영상, 모이기 노래 등을 활용해 예배 대형으로 바꾸고 마음을 준비하게 한다.
- 공간을 이동해야 한다면 슬픈 표정을 지으며 가도록 한다.

가스펠 설교

하나 — 들어가기

아이들과 함께 기도한다.

하나님께 기도로 말씀드릴 수 있다는 것은 정말이지 큰 선물이에요! 오늘의 성경 이야기에서 예수님은 기도를 드린 두 사람에 대한 이야기를 들려주셨어요. 과연 하나님이 누구의 기도를 기뻐하셨는지 이야기를 잘 들어 보세요.

둘 — 성경 이야기

DVD 누가복음 18장을 편다. 설교 영상(**지도자용 팩**)을 보여 주거나 이야기 성경을 들려준다.

성경 말씀은 모두 진짜예요. 성경은 하나님이 우리에게 주신 하나님의 말씀이에요. 성경을 배우면 하나님이 어떤 분이신지 알 수 있지요. 오늘의 성경 이야기는 신약성경 중에 '누가복음'에 나온답니다.

셋 — 메시지와 정리

세리는 자신이 용서받아야 할 죄인이라는 것을 알고 하나님께 부르짖었어요. 바리새인이 자신이 선하다고 생각한 것은 잘못이었어요. 모든 사람은 죄인이고 하나님의 용서가 필요해요. 세리만 그런 것이 아니라, 바리새인과 우리도 마찬가지예요. 예수님은 우리의 죄를 대신 지고 십자가에서 벌을 받으려고 이 땅에 오셨어요. 우리도 세리처럼 하나님께 용서를 구해야 해요. 그러면 하나님이 예수님 때문에 우리를 용서하세요.

DVD 연대표(**지도자용 팩**)를 가리키면서 복습 질문을 한다.

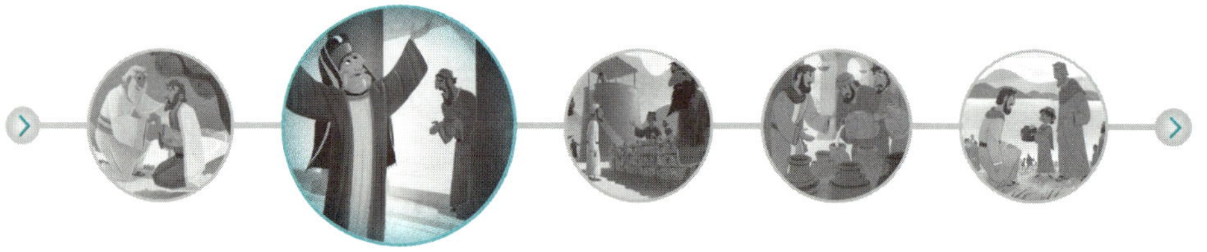

1. 성전에 기도하러 간 두 사람은 누구누구였나요? 바리새인과 세리
2. 자기가 다른 사람보다 나은 것을 감사하고, 자기가 한 착한 일을 늘어놓으며 기도한 사람은 누구인가요? 바리새인
3. 자기가 죄인인 것을 인정하고 자기를 불쌍히 여겨 달라고 기도한 사람은 누구인가요? 세리
4. 하나님은 누구의 기도를 기뻐하셨나요? 세리

넷 — 성경의 초점

1단원 '성경의 초점'의 답을 말할 수 있나요? **"예수님은 왜 이야기를 들려주셨나요?"** 아이들의 대답을 기다린다. **"하나님과 하나님 나라에 대해 가르치시기 위해서예요."** 예수님을 만난 사람들은 우리가 하는 착한 행동 때문에 하나님이 우리를 더 사랑하시는 것도 아니고, 우리가 남들보다 더 나은 사람이 되는 것도 아니라는 사실을 알아야 했어요. 예수님이 들려주신 이야기는 바로 이 사실을 가르쳐 주어요.

다섯 — 복음 초청

성경과 48쪽 복음 초청 가이드를 이용해서 아이들에게 그리스도인이 되는 법을 설명해 준다. 따로 상담해 줄 사람을 정해 주고 궁금한 점이 있으면 물어보도록 격려한다.

이 시간 예수님을 믿고 마음에 모시고 싶은 친구는 함께 기도해요.

여섯 — 기도

하나님, 하나님이 어떤 마음을 기뻐하시는지 알게 되었어요. 우리가 하나님이 기뻐하시는 겸손한 마음을 가질 수 있도록 도와주세요. 죄인이었던 우리를 구원하기 위해 십자가에서 죽으시고 다시 살아나신 예수님의 사랑에 정말 감사드려요. 예수님의 이름으로 기도합니다. 아멘.

일곱 — 암송송

성경에서 마가복음 6장 34절을 펴고 큰 소리로 여러 번 따라 읽게 한다.

예수님은 모든 사람에게 가르침을 베푸셨어요. 오늘의 성경 이야기에서 예수님은 '자기가 남들보다 낫다'고 생각하는 사람들을 가르치셨지요. 왜냐하면 예수님은 그들도 사랑하시기 때문이에요. 예수님은 그들도 자신이 다른 사람과 마찬가지로 죄에서 구원받아야 하는 사람이라는 것을 깨닫기 바라셨어요.

암송송(162쪽)에 맞추어 손유희를 하며 말씀을 익힌다.

"예수께서 나오사 큰 무리를 보시고 그 목자 없는 양 같음으로 인하여 불쌍히 여기사 이에 여러 가지로 가르치시더라"(막 6:34).

가스펠 소그룹

알콩달콩 말씀 놀이

하나님이 기뻐하시는 기도를 드려요

준비물 ▶ 유치부 교재 12쪽, 색연필

이야기 나누기
- 바리새인과 세리는 각각 하나님께 무엇이라고 기도했나요?
- 하나님은 누구의 기도를 기뻐하셨나요? 그 이유는 무엇인가요?
- 하나님께 기도할 때 나의 모습은 둘 중 누구를 닮았나요?

❶ 그림 속 사람들이 각각 어떤 기도를 드리고 있는지 아이들에게 이야기해 보라고 한다.

❷ 하나님이 기뻐하시는 기도는 어떤 기도인지 답하게 하고, 두 그림을 보고 말풍선을 제외하고 다른 그림 6곳을 찾아 아래 그림에 ○표 하게 한다.

인도자 다른 그림을 정말 잘 찾았어요! 그런데 사실 그림에서 가장 다른 점은 바리새인과 세리의 행동과 마음이에요. 둘 다 기도하고 있지만, 기도하는 모습과 마음은 아주 달랐지요. **세리는 자신이 용서받아야 할 죄인이라는 것을 알고 하나님께 부르짖었어요.** 바리새인은 자기를 남보다 '낫게' 여겼고 하나님을 기쁘시게 하는 행동을 자랑하며 교만한 마음을 가졌어요. 그러나 세리는 자기를 남보다 '낮게' 여겼고 자신은 죄인이라고 인정하며 하나님 앞에서 겸손한 마음으로 죄를 용서해 달라고 자비를 구했어요. 우리 모두는 구원이 필요한 죄인들이에요. 늘 겸손한 마음으로 우리의 죄를 용서해 달라고 기도할 때 하나님이 예수님 때문에 우리의 죄를 용서해 주세요.

기도 산책을 해요 *

❶ 날씨가 좋다면 아이들을 데리고 기도 산책을 나간다.

❷ 눈에 보이는 것들과 보이지 않는 것들 중에서 하나님이 주신 모든 것을 생각하며 이야기를 나눈다.

❸ 아이들에게 다 같이 눈을 뜨고 기도할 것이라고 말한다. "하나님, [아이들이 ❷에서 나눈 감사 제목]을 주셔서/~하게 하셔서 감사합니다"라고 기도한다.

인도자 **세리는 자신이 용서받아야 할 죄인이라는 것을 알고 하나님께 부르짖었어요.** 하나님이 하신 놀라운 일들을 볼 때면 하나님이 얼마나 크고 능력 있는 분이신지, 그리고 우리는 얼마나 작고 약한지를 알게 되어요. 하나님은 우리가 무엇인가를 해 드려야 되는 분이 아니세요. 무엇이든지 다 하실 수 있는 능력의 하나님은 이미 우리를 충분히, 더할 나위 없이 사랑하고 계세요. 우리의 죄 때문에 십자가에서 우리 대신 죽으시도록 예수님을 보내신 사실을 통해서 우리는 사랑의 하나님을 알 수 있어요.

나는 누구일까요?

준비물 ▶ 170쪽 '바리새인'과 '세리' 그림(또는 지도자용 팩), 가위, 셀로판테이프, 나무 막대(빨대)

❶ 170쪽 '바리새인'과 '세리' 그림(또는 지도자용 팩)을 가위로 오려 나무 막대 2개에 셀로판테이프를 이용해 각각 고정한다.

❷ 아이들을 둥글게 앉히고 가운데에 바리새인과 세리 인형을 놓아 둔다. 인도자가 질문을 하면 정답을 아는 사람은 해당하는 인형을 집어 높이 들라고 한다.

질문) 1. 나는 착한 일을 열심히 해서 하나님께 잘 보이려고 합니다. 나는 누구일까요? (바리새인)

2. 나는 남을 속이는 일을 많이 합니다. 그래서 사람들이 나를 싫어하지요. 나는 누구일까요? (세리)
3. 나는 헌금도 잘하고, 기도도 잘한다고 하나님께 자랑했습니다. 나는 누구일까요? (바리새인)
4. 나는 하나님께 내가 나쁜 짓을 하지 않았다고 자랑하며 기도했습니다. 나는 누구일까요? (바리새인)
5. 나는 죄를 뉘우치며 하나님께 불쌍히 여겨 달라고 기도했습니다. 나는 누구일까요? (세리)
6. 하나님은 교만한 나의 기도를 기뻐하지 않으셨습니다. 나는 누구일까요? (바리새인)
7. 하나님은 겸손한 나의 기도를 기뻐하셨습니다. 나는 누구일까요? (세리)
8. 나는 예수님의 구원이 필요한 사람입니다. 나는 누구일까요? (바리새인과 세리)

tip '바리새인'과 '세리'의 그림을 크게 복사하거나 프린트해 예배실 양쪽 벽면에 각각 붙이고 질문에 따라 이동하게 해도 좋다.

인도자 **세리는 자신이 용서받아야 할 죄인이라는 것을 알고 하나님께 부르짖었어요.** 세리는 겸손하게 하나님께 용서를 구했어요. 하나님 앞에서 죄가 없다고 자랑할 수 있는 사람은 아무도 없어요. 그래서 하나님 앞에서 우리는 모두 겸손할 수밖에 없지요. 하지만 종교 지도자인 바리새인은 교만했어요. 자기 죄를 깨닫지 못하고 남들보다 낫다고 생각했어요. 모든 사람은 죄를 지었고 하나님의 용서가 필요해요. 우리는 세리처럼 하나님께 용서를 구해야 해요. 하나님이 예수님 때문에 우리의 죄를 용서해 주세요.

소곤소곤 꿀~꺽 간식

준비물 ▶ 삶은 달걀, 우유

❶ 카운트다운 영상, 정리하기 노래 등을 활용해 활동이 끝났음을 알린다. 아이들에게 주변을 정리하게 하고, 화장실에 가거나 물티슈 등을 이용해 손을 씻을 시간을 준다.

❷ 감사 기도를 드리고 아이들에게 삶은 달걀과 우유를 간식으로 나누어 준다. 아이들이 간식을 먹는 동안, 바리새인은 하나님께 기도하면서 자기가 일주일에 두 번 금식한다고 말했다고 이야기해 준다. 금식이란 하나님을 높이고 하나님만 생각하기 위해 음식을 먹지 않는 것이라고 설명해 준다. 바리새인은 자기의 착한 행동 때문에 하나님이 자기를 사랑하신다고 생각했지만, 예수님은 겸손에 대해 가르치셨다고 말해 준다. 반면 세리는 하나님이 자기를 더 사랑하시도록 만들기 위해 할 수 있는 일이 아무것도 없다는 것을 알고는 자기가 죄인임을 고백하고 자신을 불쌍히 여겨 주시기를 구했기 때문에 하나님을 기쁘시게 했다고 이야기해 준다.

❸ 간식을 먹은 후 마무리 정리를 잘하도록 지도한다.

오순도순 마무리

준비물 ▶ 유치부 교재 39쪽 메시지 카드, 소그룹 활동지, 파일

❶ 이번 주 메시지 카드로 부모님과 함께 오늘 배운 성경 이야기를 나누어 보라고 한다.

가족과 활동해요

- 잠시 멀어졌던 가족을 저녁 식사에 초대해 즐거운 시간을 나누어 보세요.
- 온 가족이 모여 기도하세요. 우리를 불쌍히 여기시는 하나님께 감사 기도를 드리세요.

❷ 나만의 기록장에 기록할 내용을 소개하고, 소그룹 활동지를 떼어 파일에 끼운 뒤 가방에 정리하게 한다.

❸ 아이들을 위해 기도한다.

인도자 하나님, 우리는 하나님의 용서가 필요해요. 우리는 죄인이에요. 예수님이 우리 대신 벌을 받아 우리의 죄를 용서해 주셔서 정말 감사하고 죄송해요. 예수님, 사랑해요. 예수님의 이름으로 기도합니다. 아멘.

❹ 아이를 데리러 온 부모에게 아이가 특별히 즐거워했거나 잘했던 활동들에 대해 이야기해 주고, 가정에서 성경 읽기와 가족 활동을 진행할 수 있도록 격려한다.

나만의 기록장

하나님께 겸손하게 기도하는 내 모습 그리기

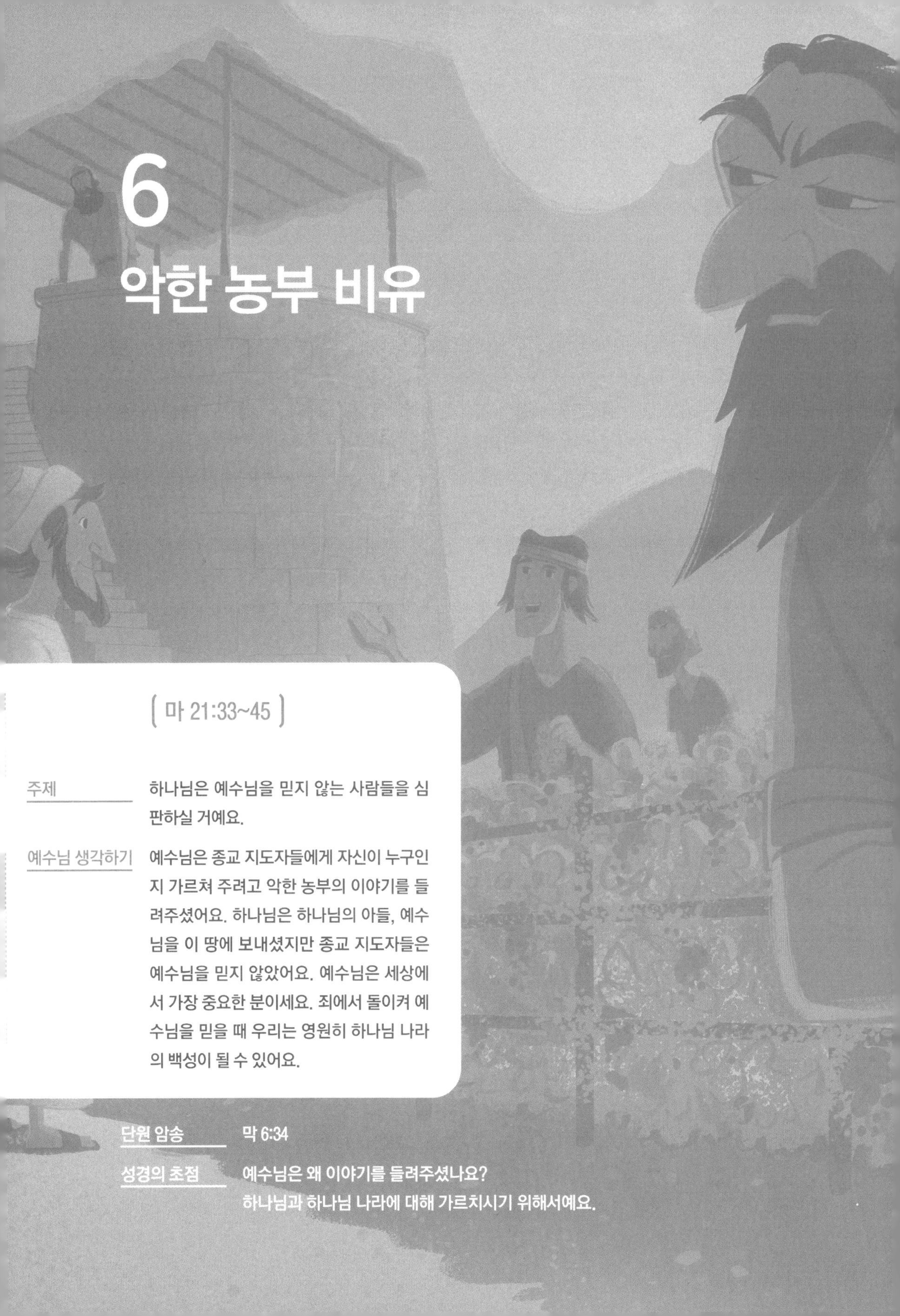

6

악한 농부 비유

(마 21:33~45)

주제 하나님은 예수님을 믿지 않는 사람들을 심판하실 거예요.

예수님 생각하기 예수님은 종교 지도자들에게 자신이 누구인지 가르쳐 주려고 악한 농부의 이야기를 들려주셨어요. 하나님은 하나님의 아들, 예수님을 이 땅에 보내셨지만 종교 지도자들은 예수님을 믿지 않았어요. 예수님은 세상에서 가장 중요한 분이세요. 죄에서 돌이켜 예수님을 믿을 때 우리는 영원히 하나님 나라의 백성이 될 수 있어요.

단원 암송 막 6:34

성경의 초점 예수님은 왜 이야기를 들려주셨나요?
하나님과 하나님 나라에 대해 가르치시기 위해서예요.

본문 속으로

예수님은 예루살렘에 영광스럽게 입성하시고 이튿 뒤, 그러니까 성전을 깨끗하게 하신 다음 날 다시 성전으로 가서 가르치셨습니다. 대제사장과 장로들이 "네가 무슨 권위로 이런 일을 하느냐 또 누가 이 권위를 주었느냐"라고 예수님께 물었습니다. 그들은 예수님이 메시아이며 하나님의 아들이시라는 사실을 인정하고 싶지 않았습니다. 그래서 예수님은 그들이 스스로 생각하게 하고 예수님이 누구신지 알려 주기 위해 비유를 들려주셨습니다.

악한 농부 비유에는 이스라엘의 역사가 담겨 있습니다. 아이들을 가르칠 때, 아이들이 비유와 이스라엘의 역사를 연관 지어 생각할 수 있도록 도와주십시오. 먼저, 포도원 주인은 성부 하나님입니다. 하나님은 아브라함의 자손인 이스라엘 백성을 통해 세상에 복을 주기로 하셨습니다. 포도원은 이스라엘입니다. 농부들은 이스라엘의 지도자들입니다.

하나님의 역사가 진행되는 동안 구약 시대에는 하나님이 선지자들을 보내 하나님의 백성에게 말씀하셨습니다. 하지만 그들은 선지자들의 말을 듣지 않았습니다. 포도원의 농부들처럼 선지자들을 핍박했습니다. 결국 하나님은 아들이신 예수님을 보내셨습니다. 농부들이 주인의 아들을 죽인 것처럼 예수님은 자신도 죽임 당할 것을 이미 알고 계셨습니다. 예수님은 무엇이 공평한지 지도자들 스스로 결론을 내리도록 유도하셨습니다. 주인이 농부들을 벌하고 자신을 존중하는 농부들을 새로 찾는 것이 낫다고 말입니다.

하나님은 공정하신 분입니다. 하나님은 예수님을 거절하는 사람들을 심판하실 것입니다. 그리고 나라마다 예수님을 믿는 사람들, 즉 예수님을 인정하며 믿는 사람들을 선택해 성도들의 공동체를 만들고 하나님 나라의 백성으로 삼으셔서 하나님의 의로운 다스림 아래 살게 하실 것입니다.

●● 티칭 포인트

예수님을 만나는 사람은 예수님을 믿든지 혹은 거부하고 돌아서든지 둘 중 하나만 선택할 수 있습니다. 예수님을 만났는데 아무것도 달라지지 않는 것은 불가능합니다. 여러분이 가르치는 아이들의 마음을 하나님이 변화시켜 주셔서 하나님의 아들이신 예수님을 믿게 해 달라고 기도하십시오. 하나님은 사랑이 많고 공정한 주인이십니다. 그리고 지금도 모든 사람이 회개하기를 바라고 계십니다(벧후 3:9 참조).

이야기 성경

악한 농부 비유

마 21:33~45

예수님이 성전에서 ★종교 지도자들을 가르치고 계셨어요. 예수님은 그들에게 이야기를 하나 들려주셨어요.

"어떤 사람이 포도를 기르려고 자기 땅에 포도원을 만들었다. 울타리를 두르고 포도즙을 짜는 틀도 만들었다. ★망대도 세웠다. 포도원 주인은 농부를 몇 명 뽑아 포도원을 맡기고 다른 나라로 갔다.

포도를 딸 때가 되자, 주인은 포도를 받으려고 자기 종들을 포도원에 보냈다. 하지만 농부들은 종들을 붙잡아 한 명은 심하게 때리고, 한 명은 죽게 했고, 나머지 한 명에게는 돌을 던졌다. 그래서 주인은 포도원으로 좀 더 많은 종을 보냈다. 하지만 이번에도 농부들은 종들을 공격했다. 마침내 주인은 자기 아들을 보냈다. 농부들이 자기 아들에게는 함부로 하지 못할 것이라고 생각했다. 하지만 농부들은 주인의 아들을 포도원 밖으로 내쫓아 죽게 했다."

이야기를 마치신 예수님은 종교 지도자들에게 물으셨어요. "포도원 주인은 농부들을 어떻게 해야 하겠느냐?" 종교 지도자들은 "농부들에게 벌을 주어야 합니다! 그리고 자기를 주인으로 인정하는 다른 사람들에게 포도원을 빌려주는 것이 낫겠습니다"라고 대답했어요.

예수님은 그들에게 시편에 나오는 건축자들의 이야기를 떠올려 주셨어요. 그 건축자들은 집을 지을 때 가장 중요한 돌을 빼 버린 어리석은 사람들이었어요. 예수님은 자신이 그 돌이며, 종교 지도자들이 바로 그 건축자들이라고 말씀하셨어요.

종교 지도자들이 예수님을 믿지 않은 것은 큰 잘못이었어요. 예수님은 가장 중요한 분이세요. 하나님은 예수님을 믿지 않는 사람들에게 벌을 주실 거예요. 그리고 예수님을 믿는 사람들을 사용해 하나님의 나라를 세우실 거예요.

●● 예수님 생각하기

예수님은 종교 지도자들에게 자신이 누구인지 가르쳐 주려고 악한 농부의 이야기를 들려주셨어요. 하나님은 하나님의 아들, 예수님을 이 땅에 보내셨지만 종교 지도자들은 예수님을 믿지 않았어요. 예수님은 세상에서 가장 중요한 분이세요. 죄에서 돌이켜 예수님을 믿을 때 우리는 영원히 하나님 나라의 백성이 될 수 있어요.

★ 종교 지도자 : 제사장, 성전에서 일하는 레위인, 율법 교사 등 이스라엘 백성을 이끄는 지도자.
★ 망대 : 적이나 주위의 상황을 살펴보기 위해 높이 세운 곳.

가스펠 준비

싱글벙글 환영해요

"하나님 나라는"(지도자용 팩)을 튼다. 아이들을 반갑게 맞이하며 헌금과 기도를 도와준다. 예배 중 헌금 순서가 있다면 아이들이 헌금을 잘 간수하도록 돕는다. 가방과 외투를 정리하도록 안내한다. 새로 온 아이가 있다면 음수대와 화장실의 위치를 알려 주고, 보호자와 만나는 시간과 방법 등을 소개한다. 보호자들을 위한 안내문을 붙여 아이와 만나는 시간, 기다리는 장소, 헌금 방법, 아이에 대한 특별한 주의 사항을 교사에게 미리 알려 달라는 당부 등을 공지한다.

너랑 나랑 마음 열기

주제와 관련 있는 퍼즐이나 블록 등 아이들이 좋아하는 장난감을 몇 가지 비치해 두고 다양한 활동을 하며 예배를 준비하도록 돕는다. 아이들이 마음을 열고 오늘의 주제에 관심을 갖게 하며 예배에 집중할 수 있도록 도와준다. 교회 형편에 맞게 시간과 활동 방법을 조절한다.

대장을 따라 해요 *

❶ 한 아이를 '대장'으로 정하고, '대장' 뒤에 아이들을 한 줄로 세운다.

❷ '대장'이 예배실을 걸어 다니며 어떤 행동을 하면 아이들이 뒤따라가면서 그대로 따라 하면 된다는 게임의 규칙을 설명해 준다.
예) 지그재그로 걷기, 한 발 뛰기, 가다가 갑자기 멈추어 서기, 만세 하고 걷기, 뒤돌아보기, "야호!" 하고 소리치기 등.

❸ 1분 후 '대장'을 줄 맨 뒤로 보내고, 차례대로 새로운 '대장'을 세운다.

❹ 새로운 '대장'과 함께 ❷의 활동을 반복한다.

❺ 모든 아이에게 대장이 될 수 있는 기회를 준다.

인도자 대장을 참 잘 따라 해 주었어요! 오늘의 성경 이야기에서 예수님은 종교 지도자들을 가르치셨어요. 종교 지도자들은 이스라엘 백성이 하나님께 순종하고 하나님만 섬기도록 이끌 책임이 있었어요. 그리고 하나님이 보내신 예수님을 잘 따르도록 가르쳐야 하는 사람들이었지요. 그런데 그들은 자신들에게 맡겨진 일에 대해 책임을 다하지 못했어요. 따라서 예수님은 그들에게 비유를 통해 가르쳐 주셨어요. 어떤 비유로 가르쳐 주셨는지 함께 들어 보아요.

돌보아 주어요 *

준비물 ▶ 동물 인형, 동물을 돌보는 도구들(밥그릇, 젖병, 빗 등)

❶ 아이들에게 주인이 멀리 떠나 있는 동안 혼자 있어야 하는 애완동물을 돌보아 주어야 한다고 이야기한다.

❷ 동물 인형을 나누어 주고, 아이들이 동물을 돌보는 도구들을 이용해 정성껏 돌볼 수 있도록 지도한다.

인도자 멀리 여행해야 하는 주인에게 필요한 일이 있어요. 그것은 바로 자기가 없는 동안 자신의 소중한 것들을 돌봐 줄 사람을 구하는 거예요. 오늘의 성경 이야기에서 예수님은 한 포도원 주인의 이야기를 들려주셨어요. 주인은 농부들에게 포도원을 맡기고 떠났어요. 그런데 농부들은 포도원의 진짜 주인이 누구인지 잊었나 봐요. 정말 끔찍한 일이 일어났어요. 과연 어떤 일이 있었는지 귀를 쫑긋 세우고 이야기를 잘 들어 보세요.

포도 수확을 관찰해요 *

준비물 ▶ 포도를 수확하는 영상 자료, 영상을 재생할 수 있는 도구(스마트폰, 태블릿 등)

❶ 포도를 수확하는 영상 자료를 준비해 아이들에게 보여 준다.

인도자 포도를 수확하는 장면을 보았어요. 오늘은 어떤 포도원 주인과 그의 포도원에서 일하는 농부들에 대한 이야기를 들을 거예요. 그 포도원에서 어떤 일이 일어났을까요? 궁금하지요? 이제 들려줄게요.

예배 대형으로 모이기

- 카운트다운 영상, 모이기 노래 등을 활용해 예배 대형으로 바꾸고 마음을 준비하게 한다.
- 공간을 이동해야 한다면 포도를 수확하는 흉내를 내며 가도록 한다.

가스펠 설교

하나 — 들어가기

혹시 애완동물을 키우고 있는 친구가 있나요? 여러분이 여행을 떠나면 그 동물은 누가 돌보아 주나요? 오늘의 성경 이야기에서 예수님은 한 포도원 주인의 이야기를 들려주셨어요. 주인은 자기가 떠나 있는 동안 포도원을 돌보아 줄 농부들을 뽑았어요. 하지만 농부들은 아주 끔찍한 일을 저질렀어요. 과연 이 비유가 무슨 뜻인지 이야기를 잘 듣고 생각해 보세요.

둘 — 성경 이야기

DVD 마태복음 21장을 편다. 설교 영상(지도자용 팩)을 보여 주거나 이야기 성경을 들려준다.

성경은 하나님의 말씀이에요. 하나님의 말씀은 모두 사실이에요! 성경을 보면 하나님이 어떤 분이신지 알 수 있어요. 오늘의 성경 이야기는 신약성경 중 '마태복음'에 나온답니다.

셋 — 메시지와 정리

예수님은 종교 지도자들에게 자신이 누구인지 가르쳐 주려고 악한 농부의 이야기를 들려주셨어요. 하나님은 하나님의 아들, 예수님을 이 땅에 보내셨지만 종교 지도자들은 예수님을 믿지 않았어요. 예수님이 세상에서 가장 중요한 분이신데도 말이에요. **하나님은 예수님을 믿지 않는 사람들을 심판하실 거예요.** 죄에서 돌이켜 예수님을 믿을 때 우리는 영원히 하나님 나라의 백성이 될 수 있어요.

DVD 연대표(지도자용 팩)를 가리키면서 복습 질문을 한다.

1. 포도원 주인은 왜 농부들을 뽑았나요? 자기 포도원을 돌보게 하려고
2. 농부들은 주인이 보낸 종들을 어떻게 했나요? 때리고, 죽게 하고, 그들에게 돌을 던졌다
3. 농부들은 포도원 주인의 아들을 어떻게 했나요? 죽게 했다
4. 포도원 주인이 농부들을 어떻게 해야 되겠냐고 예수님이 물으셨을 때 종교 지도자들은 무엇이라고 대답했나요? 농부들에게 벌을 주고 새 농부들을 뽑아야 한다고 말했다

5. 하나님은 예수님을 믿지 않는 사람들을 어떻게 하시나요? 하나님은 예수님을 믿지 않는 사람들을 심판하실 거예요.

넷 – 성경의 초점

1단원의 '성경의 초점'을 말할 수 있나요? **"예수님은 왜 이야기를 들려주셨나요?"** 아이들의 대답을 기다린다. 맞아요! **"하나님과 하나님 나라에 대해 가르치시기 위해서예요."** 종교 지도자들은 예수님이 세상에서 가장 중요한 분이시라는 사실을 깨닫지 못했어요. 예수님은 악한 농부 비유를 통해 '하나님은 예수님을 믿는 사람들을 사용해 하나님 나라를 세우실 것'이라는 사실을 우리에게 가르쳐 주셨어요.

다섯 – 복음 초청

성경과 48쪽 복음 초청 가이드를 이용해서 아이들에게 그리스도인이 되는 법을 설명해 준다. 따로 상담해 줄 사람을 정해 주고 궁금한 점이 있으면 물어보도록 격려한다.

이 시간 예수님을 믿고 마음에 모시고 싶은 친구는 함께 기도해요.

여섯 – 기도

하나님, 종교 지도자들은 하나님이 이 땅에 보내 주신 예수님을 믿지 않았어요. 우리가 하나님의 마음을 모르는 채 살아가지 않도록 도와주세요. 우리가 예수님을 진심으로 사랑하고 하나님의 말씀을 믿으며 살 수 있도록 우리에게 믿음을 주세요. 모든 사람이 하나님이 보내 주신 예수님을 믿고 구원받아 하나님 나라에서 살 수 있도록 도와주세요. 예수님의 이름으로 기도합니다. 아멘.

일곱 – 암송송

성경에서 마가복음 6장 34절을 펴고 큰 소리로 여러 번 따라 읽게 한다.

우리는 모두 죄인이기 때문에 혼자 힘으로는 하나님이 어떤 분이신지를 결코 깨달을 수 없어요. 예수님은 우리가 하나님이 어떤 분이신지와 하나님의 나라가 어떤 곳인지를 알고 예수님을 믿게 하려고 사람들을 가르치셨어요.

암송송(162쪽)에 맞추어 손유희를 하며 말씀을 익힌다.

"예수께서 나오사 큰 무리를 보시고 그 목자 없는 양 같음으로 인하여 불쌍히 여기사 이에 여러 가지로 가르치시더라"(막 6:34).

알콩달콩 말씀 놀이

하나님을 따르며 살아요!

준비물 ▶ 유치부 교재 14쪽, 45쪽 '등장인물' 스티커, 색연필

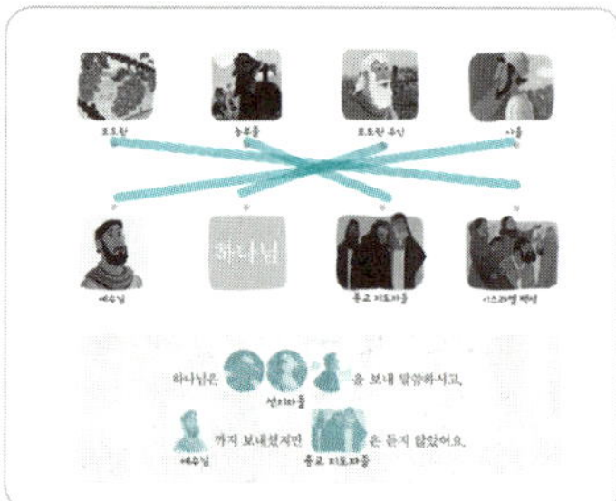

이야기 나누기

- 농부들은 왜 주인의 종들과 아들을 때리고, 죽게 하고, 그들에게 돌을 던졌을까요?
- 하나님은 왜 아들이신 예수님을 이 땅에 보내셨나요?

❶ 악한 농부 비유는 어떤 의미를 담고 있는지 알아보자고 한다. 비유에 등장하는 그림을 보고 알맞은 의미를 찾아 선으로 연결하도록 지도한다.

❷ 비유에 담긴 뜻이 적힌 아래 문장을 읽어 주고 유치부 교재 45쪽 '등장인물' 스티커를 차례로 붙이게 한다.

인도자 오늘의 성경 이야기에서 예수님은 농부들에게 포도원을 맡기고 떠난 포도원 주인의 이야기를 들려주셨어요. 포도원 주인은 포도를 수확할 때가 되자 자기 종들을 포도원에 보냈어요. 하지만 농부들은 종들을 때리고, 죽게 하고, 그들에게 돌을 던졌지요. 심지어 주인의 아들마저 죽게 했어요. 예수님은 하나님이 이 땅에 예수님을 보내셨지만, 종교 지도자들이 믿지 않았다는 점을 가르치려고 이 이야기를 들려주셨어요. 예수님은 하나님 나라를 세우시는 가장 소중한 분이세요. **하나님은 예수님을 믿지 않는 사람들을 심판하실 거예요.** 죄에서 돌이켜 예수님을 믿을 때 우리는 영원히 하나님 나라의 백성이 될 수 있어요.

나무 블록으로 탑을 쌓아요 *

준비물 ▶ 나무 블록(젠가)

❶ 아이들에게 나무 블록을 이용해 한 줄로 된 탑을 높이 쌓으라고 한다.

❷ 맨 아래에 있는 블록을 빼내면 어떻게 될지 상상한 후 이야기를 나누어 보고 실제로 빼 본다.

인도자 탑이 넘어지지 않으려면 그 블록이 꼭 필요했군요. 예수님도 그 블록과 같으세요. 하나님의 계획은 하나님의 아들이신 예수님 위에 세워져 있어요. 예수님은 세상에서 가장 중요한 분이세요. 종교 지도자들이 예수님을 믿지 않은 것은 큰 잘못이었어요. **하나님은 예수님을 믿지 않는 사람들을 심판하실 거예요.** 그리고 예수님을 믿는 사람들을 사용해 하나님의 나라를 세우신답니다.

'선지자 주사위'를 굴려요 *

준비물 ▶ 171쪽 '선지자 주사위' 전개도(또는 지도자용 팩), 셀로판테이프(풀), 가위

❶ 171쪽 '선지자 주사위' 전개도(또는 지도자용 팩)를 떼어 내게 한다.

❷ 아이들과 주사위 한 면, 한 면을 살펴보면서, 포도원 이야기에서 주인이 보낸 종들은 하나님이 하나님의 백성에게 보내신 선지자들과 같다고 말해 준다.

❸ 아이들에게 차례대로 '선지자 주사위'를 굴려서 나온 면에 적힌 선지자의 이름을 외치라고 한다. 인도자가 그 선지자에 대해 간단하게 설명해 준다.

tip 연령대가 낮은 경우 인도자가 해당 선지자의 이름을 불러 주어 아이가 따라 말할 수 있도록 도와준다.

예) 1. 요엘 : 하나님은 요엘을 통해 남 유다에 사랑을 전하셨어요.
2. 엘리야 : 하나님은 엘리야를 통해 자신이 오직 한 분, 진짜 하나님이라는 사실을 보여 주셨어요.
3. 이사야 : 예수님의 십자가 고난과 죽으심을 이야기했어요.
4. 예레미야 : 새 언약에 대해 예언했어요.
5. 에스겔 : 에스겔이 앞날의 소망을 이야기했어요.
6. 예수님 : 예수님은 우리를 구원하러 오신 메시아세요.

인도자 하나님은 하나님의 백성에게 선지자들을 보내셔서 죄에서 돌이켜 하나님을 다시 따르라고 말씀하셨어요. 백성을 지도하는 종교 지도자들은 선지자들의 말을 듣지 않고 그들을 해쳤어요. 이제 하나님은 하나님의 아들이신 예수님을 이 땅에 보내셨어요. 하지만 종교 지도자들은 예수님을 믿지 않고 십자가에서 죽게 했어요. **하나님은 예수님을 믿지 않는 사람들을 심판하실 거예요.** 하지만 죄에서 돌이켜 예수님을 믿을 때 우리는 영원히 하나님 나라의 백성이 될 수 있어요.

포도송이 도장을 찍어요 *

준비물 ▶ 휴지 심, 보라색 물감, 일회용 접시, 흰색 도화지, 초록색•갈색 크레파스, 네임펜

❶ 일회용 접시에 보라색 물감을 짜 둔다.

❷ 아이들에게 휴지 심의 기둥 부분을 잡고, 동그라미 도장이 찍히도록 물감을 묻혀, 흰색 도화지에 찍어 포도송이를 표현해 보라고 한다.

❸ 물감이 마를 때까지 안전한 장소에 놓아 두었다가 초록색 • 갈색 크레파스를 이용해 줄기와 잎을 그리게 한다.

❹ 아이들의 작품마다 6과의 주제나 1단원 암송 구절을 적어 준다.

인도자 **예수님은 왜 이야기를 들려주셨나요? 하나님과 하나님 나라에 대해 가르치시기 위해서예요.** 예수님은 종교 지도자들에게 자신이 누구인지 가르쳐 주려고 악한 농부의 이야기를 들려주셨어요. 하나님은 하나님의 아들, 예수님을 이 땅에 보내셨지만 종교 지도자들은 예수님을 믿지 않았어요. 예수님은 세상에서 가장 중요한 분이세요. **하나님은 예수님을 믿지 않는 사람들을 심판하실 거예요.** 하지만 죄에서 돌이켜 예수님을 믿을 때 우리는 영원히 하나님 나라의 백성이 될 수 있어요.

포도원 주인에게 수확한 포도를 드려요 *

준비물 ▶ 색깔 점토, 점토 놀이 도구, 쟁반

❶ 점토 놀이 도구를 이용해 포도송이를 만들고 보라고 한다.

tip 점토 대신 신문지를 뭉쳐 공처럼 만들고 셀로판테이프로 연결해 커다란 포도송이를 만들어도 좋다.

❷ 포도송이를 쟁반에 모은다.

❸ '농부' 2명을 뽑고, 인도자가 '포도원 주인' 역할을 맡아 역할극을 진행한다.

예) 포도원 주인 : "똑똑! 추수할 때가 되었소."

농부들 : (포도를 담은 쟁반을 들고 나오며) "네, 주인님, 여기 잘 익은 포도가 있습니다. 이 포도원에서 농사를 짓게 해 주셔서 감사합니다."

인도자 성경 이야기에 나온 악한 농부들은 주인이 포도를 받으려고 보낸 종들을 해쳤고, 포도원 주인의 아들마저 죽게 했지요! 이 이야기의 포도원 주인은 하나님이고, 아들은 예수님을 가리킨다고 배웠어요. 하나님이 하나님의 아들이신 예수님을 이 땅에 보내셨지만, 종교 지도자들은 예수님을 믿지 않고 죽게 했어요. 하나님은 하나님의 백성을 다스리세요. 우리가 역할극에서 포도원 주인에게 포도를 기쁜 마음으로 드렸던 것처럼 우리 모두 하나님의 백성답게 하나님 나라에서 하나님의 말씀에 순종하며 살아요.

소곤소곤 꿀~꺽 간식

준비물 ▶ 포도, 접시

❶ 카운트다운 영상, 정리하기 노래 등을 활용해 활동이 끝났음을 알린다. 아이들에게 주변을 정리하게 하고, 화장실에 가거나 물티슈 등을 이용해 손을 씻을 시간을 준다.

❶ 감사 기도를 드리고 포도를 간식으로 나누어 준다. 이야기 속의 포도원 주인은 포도를 키우기 위해 포도원을 만들었다고 이야기해 준다. 예수님이 왜 이야기를 들려주셨는지 물어보고, 사람들에게 하나님과 하나님 나라에 대해 가르치시기 위해서였다고 1단원 '성경의 초점'을 한 번 더 말해 준다. 포도원 주인은 하나님을, 악한 농부들은 종교 지도자들을, 주인의 아들은 예수님을 의미한다고 말해 준다. 예수님은 종교 지도자들이 자신을 해칠 것을 이미 아셨다고 이야기해 준다.

❸ 간식을 먹은 후 마무리 정리를 잘하도록 지도한다.

오순도순 마무리

준비물 ▶ 유치부 교재 39쪽 메시지 카드, 소그룹 활동지, 파일

❶ 이번 주 메시지 카드로 부모님과 함께 오늘 배운 성경 이야기를 나누어 보라고 한다.

가족과 활동해요

- 주위에 여행을 떠나는 가족이 있으면 그 가족이 키우는 애완동물을 돌보아 주세요.
- 오랜 세월 동안 보존이 잘된 건물을 찾아가 모퉁잇돌을 찾아 보세요. 예수님을 왜 모퉁잇돌이라고 부르는지 아이들과 이야기를 나누어 보세요.

❷ 나만의 기록장에 기록할 내용을 소개하고, 소그룹 활동지를 떼어 파일에 끼운 뒤 가방에 정리하게 한다.

❸ 아이들을 위해 기도한다.

인도자 하나님, 하나님의 아들이신 예수님을 이 땅에 보내 주셔서 감사해요. 우리 모두가 죄에서 돌이켜 예수님을 믿을 수 있는 마음을 주세요. 우리도 영원한 하나님 나라의 백성이 되고 싶어요. 예수님의 이름으로 기도합니다. 아멘.

❹ 아이를 데리러 온 부모에게 아이가 특별히 즐거워했거나 잘했던 활동들에 대해 이야기해 주고, 가정에서 성경 읽기와 가족 활동을 진행할 수 있도록 격려한다.

나만의 기록장

예수님과 예수님을 믿는 사람들이 모여 사는 하나님 나라 그리기

2단원 기적을 행하신 예수님

예수님은 기적을 통해 하나님을 영화롭게 하시고 예수님이 그리스도(메시아)시며, 하나님의 아들이심을 증거하셨습니다. 기적은 사람들의 믿음을 강하게 만들었고 필요를 채워 주었습니다. 하나님은 예수님을 통해 우리 힘으로는 도저히 얻을 수 없는 용서와 구원, 그리고 영원한 생명을 주셨습니다.

예수님이 물로 포도주를 만드셨어요

예수님이
물 위를
걸으셨어요

예수님이
하늘의 떡을
주셨어요

카운트다운

운동 경기

DVD

카운트다운 영상(지도자용 팩)은 예배 대형으로 모이거나 대형을 바꾸며 준비할 시간을 알리는 데 활용한다. 익숙해질 때까지 중간에 남은 시간을 알리는 것도 좋다.
예) “1분 전입니다”, “30초 전입니다. 마음을 가다듬고 기도하며 하나님께 나아갑시다” 등.

단원 암송

오직 이것을 기록함은 너희로 예수께서 하나님의 아들 그리스도이심을 믿게 하려 함이요 또 너희로 믿고 그 이름을 힘입어 생명을 얻게 하려 함이니라(요 20:31).

요한복음 20:31

원곡 : 그 옛날에(영국 민요)

작곡 : 토마스 헤인즈 베일리
편곡 : 김효정

7
예수님이 물로 포도주를 만드셨어요

(요 2:1~12)

주제	예수님이 첫 번째 기적으로 물로 포도주를 만드셨어요.
예수님 생각하기	예수님은 자신이 하나님의 아들, 그리스도(메시아)이심을 사람들이 믿을 수 있도록 기적을 행하셨어요. 예수님은 모든 것을 다스리세요. 예수님을 믿는 사람은 죄를 용서받고 예수님과 함께 영원히 살아요.

단원 암송	요 20:31
성경의 초점	예수님은 왜 기적을 행하셨나요? 예수님은 기적을 통해 자신이 하나님의 아들이심을 나타내셨어요.

본문 속으로

예수님의 사역이 시작되었습니다. 예수님은 제자들을 부르시고 갈릴리 지역을 다니셨습니다. 예수님은 이 땅에서의 시간을 가르치고, 기적을 베풀고, 사명을 준비하는 데 사용하셨습니다. 예수님의 궁극적인 사명은 죄인들을 구하기 위해 십자가에서 죽는 것이었습니다. 예수님이 보이신 기적은 "예수님이 누구신가?"와 "예수님이 이 땅에 왜 오셨는가?"라는 근본적인 질문들을 가리키는 표지판과 같았습니다.

요한복음 2장은 가나의 결혼식에서 일어난 예수님의 첫 번째 기적을 기록하고 있습니다. 예수님의 어머니가 예수님께 포도주가 동이 났다고 말했습니다. 당시 이스라엘 문화에서 포도주가 바닥나는 것은 큰일이었습니다. 결혼식은 중요한 행사였고, 일주일 동안 계속되기도 했습니다. 그런 상황에서 포도주가 떨어졌다는 것은 사회적 재앙과 다름없었습니다. 하지만 예수님은 놀랍게도 이렇게 반응하셨습니다. "여자여 나와 무슨 상관이 있나이까 내 때가 아직 이르지 아니하였나이다"(요 2:4).

예수님의 대답을 이해하려면 예수님이 행하신 기적들은 그 자체가 목적이 아니라는 사실을 기억해야 합니다. 기적은 표지판과 같습니다. 더 위대한 무언가를 가리키고 있는 것입니다.

포도주가 동이 나자 예수님은 물로 포도주를 만들어 자신이 메시아, 곧 하나님의 아들이심을 보여 주셨습니다. 예수님은 우리에게 포도주보다 훨씬 더 좋은 것을 주십니다. 바로 예수님 자신입니다. 예수님은 참포도나무이십니다. 잔칫날은 아직 예수님의 때가 아니었습니다. 예수님은 앞으로 일어날 일을 알고 계셨습니다. 우리 죄를 대신 지고 십자가에서 피 흘려 죽으심으로 자신을 우리에게 주실 것을 말입니다.

예수님의 기적을 목격한 제자들의 반응은 경외와 놀라움 그 이상이었습니다. 그들은 기적을 통해 하나님의 영광을 나타내신 예수님을 믿게 되었습니다. 예수님은 하나님 아버지의 뜻에 따라 움직이셨습니다. 하나님의 뜻은 단지 포도주가 모자라는 문제를 해결하는 것이 아니라, 우리가 직면한 가장 심오한 문제인 죄의 문제를 해결하는 것이었습니다.

●● 티칭 포인트

아이들을 가르칠 때, 예수님의 기적에만 초점을 맞추지 말고 예수님이 어떤 분이신지를 볼 수 있도록 도와주십시오. 예수님은 기적을 통해 자신이 그리스도이시며 하나님의 아들이심을 사람들에게 보이셨습니다. 예수님은 죽음과 부활을 통해 우리에게 가장 필요한 것을 주셨습니다. 바로 용서와 영원한 생명입니다.

이야기 성경

예수님이 물로 포도주를 만드셨어요

요 2:1~12

어느 날 예수님의 어머니 마리아가 가나의 결혼 잔치에 초대를 받았어요. 예수님과 제자들도 함께 갔지요. 잔치에 포도주가 떨어지자 마리아가 예수님께 말했어요. "포도주가 다 떨어졌다는구나." 마리아는 아들인 예수님이 도와줄 것을 알았어요. 그래서 하인들에게 예수님이 시키시는 대로 하라고 말해 두었어요.

그 집에는 돌로 만든 큰 물 항아리가 6개 있었어요. 예수님은 하인들에게 항아리에 물을 채우라고 말씀하셨어요. 하인들은 항아리에 물을 가득 채웠어요. 그러자 예수님이 "이제 물을 떠서 결혼식이 진행되는 과정을 책임진 사람에게 갖다 주어라"라고 말씀하셨어요. 하인들은 예수님의 말씀대로 했어요.

결혼식 책임자가 잔에 든 것을 맛보았어요. 물이 포도주로 변해 있었어요! 그 사람은 포도주가 어디서 났는지 몰랐지만, 하인들은 예수님이 기적을 행하셨다는 것을 알았지요.

결혼식 책임자는 신랑을 불러 말했어요. "사람들은 보통 처음에는 좋은 포도주를 내놓고, 나중에는 값싼 포도주를 내놓는데, 당신은 가장 좋은 것을 마지막까지 남겨 두었군요!"라고 말했어요.

이것이 예수님이 행하신 첫 번째 기적이에요. 이 기적으로 제자들은 예수님이 얼마나 위대하신 분인지를 알았고, 예수님을 믿게 되었어요.

결혼 잔치가 끝난 뒤, 예수님은 어머니와 동생들, 그리고 제자들과 함께 가버나움으로 가서 며칠 동안 머무르셨어요.

●● 예수님 생각하기

예수님은 자신이 하나님의 아들, 그리스도(메시아)이심을 사람들이 믿을 수 있도록 기적을 행하셨어요. 예수님은 모든 것을 다스리세요. 예수님을 믿는 사람은 죄를 용서받고 예수님과 함께 영원히 살아요.

가스펠 준비

싱글벙글 환영해요

"기적"(지도자용 팩)을 튼다. 아이들을 반갑게 맞이하며 헌금과 기도를 도와준다. 예배 중 헌금 순서가 있다면 아이들이 헌금을 잘 간수하도록 돕는다. 가방과 외투를 정리하도록 안내한다. 새로 온 아이가 있다면 음수대와 화장실의 위치를 알려 주고, 보호자와 만나는 시간과 방법 등을 소개한다. 보호자들을 위한 안내문을 붙여 아이와 만나는 시간, 기다리는 장소, 헌금 방법, 아이에 대한 특별한 주의 사항을 교사에게 미리 알려 달라는 당부 등을 공지한다.

너랑 나랑 마음 열기

주제와 관련 있는 퍼즐이나 블록 등 아이들이 좋아하는 장난감을 몇 가지 비치해 두고 다양한 활동을 하며 예배를 준비하도록 돕는다. 아이들이 마음을 열고 오늘의 주제에 관심을 갖게 하며 예배에 집중할 수 있도록 도와준다. 교회 형편에 맞게 시간과 활동 방법을 조절한다.

예수님, 무엇을 할까요? *

준비물 ▶ 마스킹 테이프

❶ 마스킹 테이프를 이용해 예배실 한쪽 끝에 출발선을 표시해 둔다.

❷ 아이들을 출발선 뒤에 한 줄로 세우고, 인도자는 '예수님' 역할을 맡아 반대편 끝에 선다.

❸ 아이들이 한 명씩 차례대로 "예수님, 무엇을 할까요?"라고 물으면 '예수님'의 지시를 듣고 그대로 따르면 된다고 말해 준다.

예) "앞으로 두 걸음 오세요", "오른쪽으로 세 걸음 가세요", "손뼉을 두 번 치세요" 등.

❹ 아이들이 모두 '예수님'께 도착하면 활동을 마무리한다.

인도자 오늘의 성경 이야기에서 예수님과 예수님의 어머니 마리아는 결혼 잔치에 갔어요. 그런데 잔치를 망칠 만한 큰일이 생겼어요. 마리아는 예수님께 도움을 구했어요. 그리고 하인들에게는 예수님이 시키시는 대로 하라고 말했지요. 예수님이 시키신 일이 무엇이었을까요? 오늘의 말씀을 잘 들어 보세요.

잔치 장소를 꾸며요 *

준비물 ▶ 파티 꾸미기 용품(리본 테이프, 가랜드, 풍선, 셀로판테이프 등)

❶ 아이들과 함께 파티 꾸미기 용품을 이용해 예배실을 잔치 장소로 꾸며 본다.

인도자 정말 멋지게 꾸며 주었어요! 이곳에서 진짜 잔치를 열어도 되겠어요! 오늘의 성경 이야기에서 예수님의 어머니 마리아는 결혼 잔치에 갔어요. 예수님과 제자들도 함께 갔지요. 결혼 잔치에서 마리아가 예수님께 무슨 부탁을 했는지 이야기를 잘 들어 보세요.

예배 대형으로 모이기

- 카운트다운 영상, 모이기 노래 등을 활용해 예배 대형으로 바꾸고 마음을 준비하게 한다.
- 공간을 이동해야 한다면 신랑 혹은 신부의 흉내를 내며 가도록 한다.

가스펠 설교

하나 — 들어가기

결혼식에 가 본 적이 있나요? 결혼식에 가면 무엇을 볼 수 있나요? 아이들의 대답을 기다린다. 오늘의 성경 이야기에서 예수님과 예수님의 어머니, 그리고 제자들은 결혼 잔치에 갔어요. 그런데 잔칫집에 큰일이 생겨서 예수님의 어머니가 예수님께 도움을 구했어요. 과연 무슨 문제였을까요? 이야기를 잘 들어 보세요.

둘 — 성경 이야기

DVD 요한복음 2장을 편다. 설교 영상(지도자용 팩)을 보여 주거나 이야기 성경을 들려준다.

성경은 세상에서 가장 특별한 책이에요. 하나님은 성경을 통해 우리에게 하나님의 말씀을 주셨어요. 오늘의 성경 이야기는 '요한복음'에 나와요.

셋 — 메시지와 정리

예수님이 첫 번째 기적으로 물로 포도주를 만드셨어요. 예수님이 만드신 포도주는 잔칫집에서 원래 준비했던 것보다 훨씬 맛이 좋았어요. '기적'이란 오직 하나님만 하실 수 있는, 일반적으로는 불가능한 일을 말해요.

DVD 연대표(지도자용 팩)를 가리키면서 복습 질문을 한다.

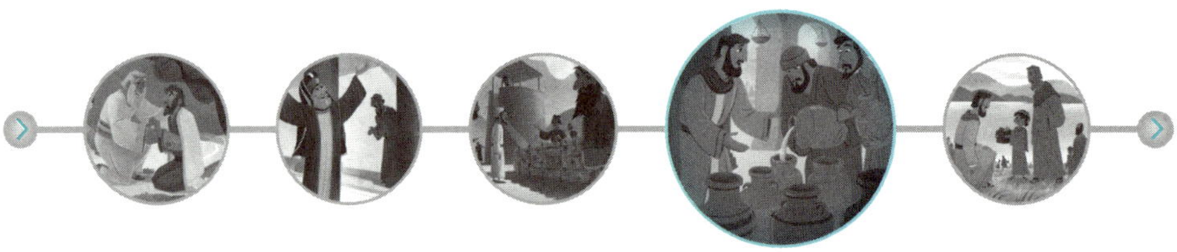

1. 예수님과 예수님의 어머니, 그리고 제자들은 어디에 갔나요? 가나의 결혼 잔치
2. 잔칫집에서 무슨 음식이 떨어졌나요? 포도주
3. 예수님은 하인들에게 6개의 돌 항아리에 무엇을 채우라고 말씀하셨나요? 물
4. 결혼식 책임자가 항아리에서 떠 온 것을 맛보았을 때 물이 무엇으로 변해 있었나요? 포도주
5. 결혼식 책임자는 포도주 맛이 어떻다고 말했나요? 먼저 나온 포도주보다 맛이 더 좋다고 했다

넷 — 성경의 초점

2단원의 '성경의 초점'을 알아볼까요? 질문은 **"예수님은 왜 기적을 행하셨나요?"**이고, 답은 **"예수님은 기적을 통해 자신이 하나님의 아들이심을 나타내셨어요"**랍니다. 예수님은 자신이 하나님의 아들, 그리스도(메시아)이심을 사람들이 믿을 수 있도록 기적을 행하셨어요. 예수님은 모든 것을 다스리세요. 예수님을 믿는 사람은 죄를 용서받고 예수님과 함께 영원히 살게 되어요.

다섯 — 복음 초청

성경과 48쪽 복음 초청 가이드를 이용해서 아이들에게 그리스도인이 되는 법을 설명해 준다. 따로 상담해 줄 사람을 정해 주고 궁금한 점이 있으면 물어보도록 격려한다.

이 시간 예수님을 믿고 마음에 모시고 싶은 친구는 함께 기도해요.

여섯 — 기도

사랑의 하나님, 예수님은 물로 포도주를 만드실 수 있는 분이세요. 예수님은 놀라운 능력을 가진 하나님의 아들이심을 믿어요. 예수님을 믿는 사람들은 모두 죄가 없어지고, 새로운 생명을 얻으며, 하나님 나라에서 영원히 살아가게 해 주셔서 감사해요. 우리만 아니라 많은 사람이 우리를 사랑하시는 예수님을 믿게 해 주세요. 예수님의 이름으로 기도합니다. 아멘.

일곱 — 암송송

성경에서 요한복음 20장 31절을 펴고 큰 소리로 여러 번 따라 읽게 한다.

오늘의 성경 이야기는 요한복음에 나오는데, 2단원 암송 구절도 요한복음에 나와요. 요한복음은 예수님의 제자 중에 한 사람인 요한이 쓴 거예요. 2단원 암송 구절은 왜 요한이 예수님이 이 땅에서 하신 일을 기록했는지, 그 이유를 말해 주어요. 요한은 모든 사람이 이 이야기를 듣고 예수님이 메시아이자 하나님의 아들이시고, 하나님이 보내기로 약속하신 바로 그분이시라는 사실을 믿기 바라는 마음으로 요한복음을 썼어요.

암송송(163쪽)에 맞추어 손유희를 하며 말씀을 익힌다.

"오직 이것을 기록함은 너희로 예수께서 하나님의 아들 그리스도이심을 믿게 하려 함이요 또 너희로 믿고 그 이름을 힘입어 생명을 얻게 하려 함이니라"(요 20:31).

알콩달콩 말씀 놀이

항아리를 채워요!

준비물 ▶ 파란색·빨간색 크레파스

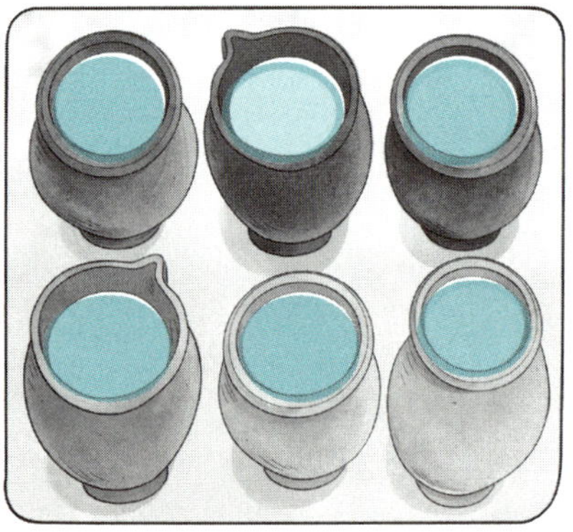

이야기 나누기

- 예수님은 결혼 잔치에서 어떤 기적을 보여 주셨나요?
- 예수님은 어떻게 그 일을 하실 수 있었나요?

❶ 예수님이 하인들에게 무엇이라고 명령하셨는지 아이들에게 물어본다.

❷ 예수님의 명령을 기억하며 파란색 크레파스를 이용해 항아리에 '물'을 채운 다음, 빨간색 크레파스를 덧칠해 색의 변화를 알아보도록 한다. 파란색에 빨간색을 덧칠하면 포도주와 같은 보라색으로 변한다.

❸ 예수님이 물을 무엇으로 변하게 하셨는지 친구와 이야기를 나누도록 지도한다.

인도자 **예수님이 첫 번째 기적으로 물로 포도주를 만드셨어요. 예수님은 왜 기적을 행하셨나요? 예수님은 기적을 통해 자신이 하나님의 아들이심을 나타내셨어요.** 예수님의 기적을 통해 예수님이 하나님의 아들이심을 믿는 사람들이 늘어났어요. 우리도 예수님의 기적 이야기를 통해 모든 것을 다스리시는 능력의 예수님을 만났어요. 예수님을 믿는 사람은 누구나 죄를 용서받고 하나님 나라에서 영원히 살게 되어요.

2단원 암송 카드를 찾아요 *

준비물 ▶ 색 도화지, 가위, 매직펜

❶ 다양한 색깔의 색 도화지를 카드 모양으로 자른 후 2단원 암송 구절을 어절별로 각각 적어 2세트를 만든다. 이때 각 어절마다 다른 색깔의 색 도화지를 사용하도록 한다.

❷ 한 세트는 예배실 바닥에 순서대로 펼쳐 두고, 나머지 한 세트는 예배실 곳곳에 숨겨 둔다.

❸ 아이들에게 예배실에 숨겨 둔 카드를 찾고, 예배실 바닥에 펼쳐 둔 카드 중에 똑같은 카드를 찾아 포개 놓으라고 한다.

tip 연령대가 낮은 경우 똑같은 색깔의 카드를 찾으면 된다고 일러 준다.

❹ 다 함께 인도자를 따라 완성된 2단원 암송 구절을 읽은 뒤, 카드를 다시 숨기고 활동을 한 번 더 반복한다.

❺ 손유희를 하며 암송송을 부르고 마무리 한다.

인도자 2단원 암송 구절은 예수님이 기적을 행하신 이유와 그 기적이 성경에 기록된 이유를 말해 주어요. **예수님은 왜 기적을 행하셨나요? 예수님은 기적을 통해 자신이 하나님의 아들이심을 나타내셨어요.** 우리는 성경에 적힌 예수님의 기적 이야기를 듣고 모든 것을 다스리시는 능력의 예수님을 알게 되어요. 죄에서 돌이켜 예수님을 믿고 의지할 때 우리는 용서받고 예수님과 함께 영원히 살 수 있어요.

항아리를 색칠해요 *

준비물 ▶ 173쪽 '항아리' 그림(또는 지도자용 팩), A4 용지, 수성 물감, 붓, 물통, 팔레트, 미술용 앞치마, 네임펜

❶ 173쪽 '항아리' 그림(또는 지도자용 팩)을 A4 용지에 프린트해 둔다.
❷ 아이들에게 미술용 앞치마를 입힌다.
❸ 팔레트에 3~4가지 색깔의 수성 물감을 짜 두고, 붓을 이용해 항아리를 색칠해 볼 수 있도록 지도한다.

tip 다른 색 물감을 사용하고 싶을 때는 물통에 들어 있는 물에 붓을 씻어야 한다고 이야기해 준다.

❹ 아이들의 작품에 7과의 주제를 써 주고, 작품을 안전한 곳에 잘 말려 두었다가 집으로 가져갈 수 있도록 지도한다.

인도자 우리는 물감으로 항아리를 색칠했지만, 예수님은 항아리에 물을 채우라고 말씀하셨어요. **예수님이 첫 번째 기적으로 물로 포도주를 만드셨어요.** 사람들은 예수님의 기적을 통해 예수님이 진짜 하나님의 아들이시라는 사실을 알게 되었어요. 예수님은 모든 것을 다스리세요.

컵에 물을 채워요 *

준비물 ▶ 책상, 수건, 큰 플라스틱 대야, 큰 그릇, 물, 플라스틱 컵, 국자

❶ 아이들을 2팀으로 나눈다.
❷ 책상 2개 위에 수건을 깔고 큰 플라스틱 대야를 각각 올려놓는다.
❸ 물을 담은 큰 그릇과 플라스틱 컵 6개를 대야 안에 각각 넣어 둔다.
❹ 각 팀에서 한 명씩 나와 국자로 그릇의 물을 떠서 컵에 담으라고 한다. 6개의 컵에 먼저 물을 채운 사람이 이긴다.

tip 대그룹일 때는 릴레이 형식으로 먼저 컵에 물을 다 담은 팀이 이기는 규칙으로 진행한다.

인도자 우리는 컵에 물을 담았지만, 잔칫집 하인들은 큰 돌 항아리 6개에 물을 가득 채웠지요. **예수님이 첫 번째 기적으로 물로 포도주를 만드셨어요.** 결혼식 책임자는 포도주가 어디서 났는지 알지 못했지만, 하인들은 예수님이 기적을 행하셨다는 사실을 알았어요. 예수님은 모든 것을 다스리세요. 누구든지 예수님을 믿고 의지하면 죄를 용서받고 예수님과 함께 영원히 살게 되어요.

소곤소곤 꿀~꺽 간식

준비물 ▶ 포도 주스, 케이크

❶ 카운트다운 영상, 정리하기 노래 등을 활용해 활동이 끝났음을 알린다. 아이들에게 주변을 정리하게 하고, 화장실에 가거나 물티슈 등을 이용해 손을 씻을 시간을 준다.

❷ 감사 기도를 드리고 포도 주스와 케이크를 간식으로 나누어 준다. 생일 파티에 케이크가 없으면 어떨지 물어보고, 예수님이 살았던 당시에는 잔칫집에 포도주가 떨어지는 것이 얼마나 큰일이었는지 설명해 준다. 예수님의 어머니는 예수님이 도와줄 수 있다는 것을 알고 예수님께 말했고, 예수님은 물로 포도주를 만드셔서 잔치를 망칠 위기에서 구해 주셨다고 다시 한 번 이야기해 준다.

❸ 간식을 먹은 후 마무리 정리를 잘하도록 지도한다.

오순도순 마무리

준비물 ▶ 유치부 교재 39쪽 메시지 카드, 소그룹 활동지, 파일

❶ 이번 주 메시지 카드로 부모님과 함께 오늘 배운 성경 이야기를 나누어 보라고 한다.

가족과 활동해요

- 지역 노숙자 센터에 생수를 전달해 주세요.
- 포도 주스를 마시며 오늘의 성경 이야기에 나온 인물들의 반응을 역할 놀이로 표현해 보세요.

❷ 나만의 기록장에 기록할 내용을 소개하고, 소그룹 활동지를 떼어 파일에 끼운 뒤 가방에 정리하게 한다.

tip 시간 여건에 맞게 교회나 가정에서 기록할 수 있도록 지도한다.

❸ 아이들을 위해 기도한다.

인도자 하나님, 성경에 예수님의 기적을 기록하셔서 우리가 들을 수 있도록 해 주셔서 감사해요. 모든 사람이 예수님이 하나님의 아들이시라는 사실을 알도록 도와주세요. 예수님을 믿고 죄를 용서받아 하나님 나라에 영원히 살게 해 주신 것도 감사드려요. 사랑해요. 예수님의 이름으로 기도합니다. 아멘.

❹ 아이를 데리러 온 부모에게 아이가 특별히 즐거워했거나 잘했던 활동들에 대해 이야기해 주고, 가정에서 성경 읽기와 가족 활동을 진행할 수 있도록 격려한다.

나만의 기록장

물이 포도주가 된 것을 보고 깜짝 놀란 하인 그리기

8

예수님이 하늘의 떡을 주셨어요

(마 14:13~21; 막 6:30~44; 요 6:1~14)

주제 예수님은 5천 명이 넘는 사람들을 먹이셨어요.

예수님 생각하기 예수님은 배고픈 사람들에게 먹을 것을 주셨어요. 다음 날 예수님은 자신이 '생명의 떡'이라고 말씀하셨어요(요 6:35). 우리에게 필요한 모든 것을 주실 수 있는 분은 오직 예수님뿐이세요. 예수님은 우리가 다시 하나님께 가까이 갈 수 있는 길을 열어 주셨어요. 우리는 예수님을 믿으면 죄를 용서받고 하나님과 함께 영원히 살 수 있어요.

단원 암송 요 20:31

성경의 초점 예수님은 왜 기적을 행하셨나요?
예수님은 기적을 통해 자신이 하나님의 아들이심을 나타내셨어요.

본문 속으로

예수님의 제자들은 사람들을 가르치고 병을 고치며 열심히 일했습니다. 예수님은 제자들에게 한적한 곳으로 가 휴식을 취하자고 말씀하셨습니다. 하지만 예수님을 찾아오는 사람들이 많았기 때문에 조용히 쉴 곳을 찾기가 힘들었습니다. 예수님과 제자들이 갈릴리 호수를 건너가자 이미 큰 무리가 예수님을 기다리고 있었습니다.

모여 있는 수많은 사람을 보신 예수님은 불편해하거나 귀찮아하지 않으셨고, 사람들을 쫓아내지도 않으셨습니다. 오히려 목자 없는 양같이 길을 잃은 모습을 보고 불쌍히 여기셨습니다. 예수님은 잃어버린 양을 찾아 구하는 선한 목자이십니다(눅 19:10; 요 10:14 참조).

그날 저녁 예수님은 여자와 아이를 제외하고도 5천 명이나 되는 사람들을 먹이시는 기적을 베푸셨습니다. 이 기적은 예수님이 행하신 기적 중 유일하게 사복음서에 모두 기록된 사건입니다. 이것은 누가 보아도 하나님이 하신 일이었습니다. 광야를 유랑하던 이스라엘 백성에게 만나를 내려 주신 바로 그 하나님이 보리떡 5개와 물고기 2마리로 수많은 사람을 배부르게 먹이신 것입니다.

하지만 예수님의 의도는 사람들의 육체적 필요만 채우시는 데 있지 않았습니다. 예수님은 그들의 영적 필요도 충족시키기 위해 이 땅에 오셨습니다. 요한복음 6장 35절을 보면 예수님은 "나는 생명의 떡이니"라고 말씀하셨습니다. 예수님께 오는 사람은 결코 주리지 않을 것이며, 예수님을 믿는 사람은 영원히 목마르지 않을 것이라고 하셨습니다.

예수님은 하늘에서 내려온 떡이십니다(요 6:41 참조). 하나님은 하나님의 아들을 완전한 희생 제물로 삼으셔서 우리의 죄를 대신 지게 하셨습니다. 예수님은 제자들에게 떡과 잔을 주시며 주님의 몸과 피라고 하셨습니다. 이것은 예수님이 십자가에서 죽으심을 상징합니다(마 26:26~28 참조).

● ● 티칭 포인트

아이들을 가르칠 때, 하나님은 우리의 필요를 채워 주시는 분이라는 사실을 아이들이 알 수 있도록 도와주십시오. 우리는 하나님이 '일용할 양식'을 주실 것을 믿을 수 있습니다(마 6:11 참조). 하나님은 예수님을 통해 구원을 베푸심으로 우리의 가장 큰 필요를 채워 주셨습니다. 그런 하나님이 모든 것을 우리에게 기꺼이 주시지 않겠습니까?(롬 8:32 참조)

이야기 성경

예수님이 하늘의 떡을 주셨어요

마 14:13~21; 막 6:30~44; 요 6:1~14

예수님의 제자들은 사람들을 가르치고 그들의 병을 고쳐 주었어요. 너무 열심히 일하느라 밥 먹을 시간도 없었지요! 그래서 예수님은 제자들에게 "사람들이 없는 조용한 곳으로 가서 좀 쉬자"라고 말씀하셨어요.

예수님과 제자들은 배를 타고 갈릴리 호수를 건넜어요. 하지만 많은 사람이 호숫가 길을 달려서 예수님과 제자들을 따라왔어요. 예수님과 제자들이 반대편 호숫가에 도착했을 때 사람들이 이미 와서 기다리고 있었지요. 몰려든 사람들을 보신 예수님은 안타까워하셨어요. 목자 없는 양 떼처럼 길 잃은 모습을 불쌍히 여기셨지요. 그들에게는 살아가는 모범을 보여 주고 그들을 도와줄 사람이 필요했어요. 그래서 예수님은 사람들에게 하나님과 하나님의 나라에 대해 가르치시고, 아픈 사람들을 고쳐 주셨어요.

저녁때가 되자 제자들이 예수님께 와서 "사람들에게 마을에 들어가 음식을 사 먹게 하십시오"라고 말했어요. 하지만 예수님은 "갈 필요 없다. 너희가 음식을 주어라"라고 대답하셨지요. 제자들은 어리둥절해하며 "우리에게는 이렇게 많은 사람이 먹을 음식이 없습니다. 혹시 음식을 산다 해도 엄청난 돈이 듭니다"라고 말했어요.

예수님은 제자들에게 "너희에게 떡이 몇 개나 있느냐?"라고 물으셨어요. 제자 안드레가 "여기 한 소년이 보리떡 5개와 물고기 2마리를 가지고 있습니다. 하지만 사람이 이렇게 많은데 무슨 소용이 있겠습니까?"라고 말했어요.

예수님은 제자들에게 사람들을 풀밭에 앉히라고 말씀하셨어요. 그래서 모두 무리를 지어 앉았어요. 예수님은 보리떡 5개와 물고기 2마리를 손에 들고 하늘을 우러러보며 감사 기도를 드리셨어요. 그리고 보리떡과 물고기를 떼어 제자들에게 주셨어요. 제자들은 음식을 가져가 사람들에게 나눠 주었고, 모든 사람이 배불리 먹었어요.

예수님은 제자들에게 남은 음식을 모으라고 하셨어요. 제자들이 모아 보니 남은 것이 12광주리나 되었어요! 예수님이 이날 먹이신 어른 남자의 수는 무려 5천 명이나 되었어요. 여자와 아이까지 더하면 정말 많은 사람이었지요.

●● 예수님 생각하기

예수님은 배고픈 사람들에게 먹을 것을 주셨어요. 다음 날 예수님은 자신이 '생명의 떡'이라고 말씀하셨어요(요 6:35). 우리에게 필요한 모든 것을 주실 수 있는 분은 오직 예수님뿐이세요. 예수님은 우리가 다시 하나님께 가까이 갈 수 있는 길을 열어 주셨어요. 우리는 예수님을 믿으면 죄를 용서받고 하나님과 함께 영원히 살 수 있어요.

가스펠 준비

싱글벙글 환영해요

DVD "기적"(지도자용 팩)을 튼다. 아이들을 반갑게 맞이하며 헌금과 기도를 도와준다. 예배 중 헌금 순서가 있다면 아이들이 헌금을 잘 간수하도록 돕는다. 가방과 외투를 정리하도록 안내한다. 새로 온 아이가 있다면 음수대와 화장실의 위치를 알려 주고, 보호자와 만나는 시간과 방법 등을 소개한다. 보호자들을 위한 안내문을 붙여 아이와 만나는 시간, 기다리는 장소, 헌금 방법, 아이에 대한 특별한 주의 사항을 교사에게 미리 알려 달라는 당부 등을 공지한다.

너랑 나랑 마음 열기

주제와 관련 있는 퍼즐이나 블록 등 아이들이 좋아하는 장난감을 몇 가지 비치해 두고 다양한 활동을 하며 예배를 준비하도록 돕는다. 아이들이 마음을 열고 오늘의 주제에 관심을 갖게 하며 예배에 집중할 수 있도록 도와준다. 교회 형편에 맞게 시간과 활동 방법을 조절한다.

낚시 놀이를 해요 *

준비물 ▶ 174쪽 '오병이어' 그림(또는 지도자용 팩), 가위, 클립, 나무젓가락, 털실, 자석 DVD

❶ 174쪽 '오병이어' 그림(또는 지도자용 팩)을 가위로 오린 후 클립을 끼워 예배실 바닥에 늘어놓는다.

❷ 나무젓가락 한쪽 끝에 털실을 묶고 반대쪽으로 늘어뜨린 털실 끝에 자석을 매달아 '자석 낚싯대'를 만들어 둔다.

❸ 아이들에게 '자석 낚싯대'를 사용해 물고기와 보리떡을 하나씩 낚아 보게 한다.

tip 그림 뒷면에 단원 암송 구절을 붙여 낚은 그림을 선물로 가져가게 해도 좋다.

인도자 오늘의 성경 이야기에서 예수님은 보리떡 5개와 물고기 2마리로 엄청나게 많은 사람을 먹이셨어요. 대체 몇 명이나 배불리 먹이셨을까요? 오늘의 말씀을 함께 들어 보아요.

똑같이 따라 해요 *

❶ 인도자가 다양한 걸음걸이로 뛰거나 걸어가고 아이들이 따라 하면 된다는 게임의 규칙을 설명해 준다.
예) 군인처럼 걷기, 토끼처럼 깡충깡충 뛰기, 고릴라처럼 걷기, 박수하며 걷기 등.

인도자 아주 잘 따라 했어요! 오늘의 성경 이야기에서 예수님과 제자들은 배를 타고 갈릴리 호수 건너편으로 갔어요. 사람들을 피해 쉬기 위해서였지요. 하지만 사람들은 호숫가 길을 달려서 예수님을 따라왔어요. 예수님과 제자들이 호수 건너편에 도착했을 때는 이미 많은 사람이 먼저 와서 기다리고 있었지요. 왜 사람들은 예수님을 따라왔을까요? 자신을 따라온 수많은 사람을 보신 예수님은 어떻게 하셨을까요? 화를 내셨을까요? 아니에요! 예수님은 그들을 불쌍히 여기셨어요. 예수님을 따라온 사람들에게는 살아가는 방법을 보여 주고 그들을 도와줄 사람이 필요했던 거예요. 예수님이 과연 어떻게 사람들을 도와주셨는지 오늘의 성경 이야기를 잘 들어 보세요.

예배 대형으로 모이기

- 카운트다운 영상, 모이기 노래 등을 활용해 예배 대형으로 바꾸고 마음을 준비하게 한다.
- 공간을 이동해야 한다면 배고픈 사람의 흉내를 내며 가도록 한다.

가스펠 설교

하나 — 들어가기

유치부 친구들 전체가 먹으려면 어떤 음식을 얼마나 만들어야 할까요? 다 같이 메뉴를 상의해 본다. 오늘의 성경 이야기에서 예수님의 제자들은 5천 명이 넘는 사람들에게 먹을 것을 주어야 했어요. 우리 친구들보다 훨씬 많은 수이지요. 그런데 가진 것은 턱없이 부족했어요. 제자들은 과연 어떻게 했을까요?

둘 — 성경 이야기

DVD 마태복음 14장을 편다. 설교 영상(지도자용 팩)을 보여 주거나 이야기 성경을 들려준다.

성경에는 하나님의 말씀이 들어 있고, 하나님의 말씀은 모두 사실이에요. 오늘의 성경 이야기에 나오는 내용도 모두 실제로 있었던 일이지요! 이 이야기는 마태복음, 마가복음, 누가복음, 요한복음, 이렇게 복음서 네 곳에 모두 나와요. 복음서는 예수님이 이 땅에 계시는 동안 행하신 일들을 기록한 책이에요.

셋 — 메시지와 정리

예수님은 5천 명이 넘는 사람들을 먹이셨어요. 예수님은 배고픈 사람들에게 먹을 것을 주셨어요. 다음 날 예수님은 자신이 '생명의 떡'이라고 말씀하셨어요(요 6:35). 우리에게 필요한 모든 것을 주실 수 있는 분은 오직 예수님뿐이세요. 우리는 죄 때문에 하나님으로부터 멀어졌어요. 그런데 예수님이 우리가 다시 하나님께 가까이 갈 수 있는 길을 열어 주셨어요. 우리가 예수님을 믿으면 죄를 용서받고 하나님과 함께 영원히 살 수 있어요.

DVD 연대표(지도자용 팩)를 가리키면서 복습 질문을 한다.

1. 예수님은 왜 사람들을 가르치고 고치셨나요? 사람들을 불쌍히 여기셔서
2. 제자들은 왜 예수님께 사람들을 마을로 보내자고 말씀드렸나요? 저녁때가 되었으니 가서 먹을 것을 사 먹게 하려고
3. 제자들은 왜 자신들이 사람들에게 먹을 것을 줄 수 없다고 생각했나요? 사람이 너무

많아서

4. 예수님은 소년이 가져온 보리떡 5개와 물고기 2마리로 어떻게 하셨나요? 하나님께 감사 기도를 드린 후 떼어 나누어 주셨다

5. 사람들이 다 배불리 먹고 남은 음식을 거두어 보니 몇 광주리였나요? 12광주리

넷 — 성경의 초점

2단원의 '성경의 초점'을 기억하나요? **"예수님은 왜 기적을 행하셨나요?"**, **"예수님은 기적을 통해 자신이 하나님의 아들이심을 나타내셨어요."** 예수님은 사람들에게 먹을 것을 주셨어요. 하지만 그 사실보다 훨씬 중요한 것은 5천 명이 넘는 사람들을 먹이심으로 예수님 자신이 하나님의 아들이라는 것을 보여 주셨다는 점이에요.

다섯 — 복음 초청

성경과 48쪽 복음 초청 가이드를 이용해서 아이들에게 그리스도인이 되는 법을 설명해 준다. 따로 상담해 줄 사람을 정해 주고 궁금한 점이 있으면 물어보도록 격려한다.

이 시간 예수님을 믿고 마음에 모시고 싶은 친구는 함께 기도해요.

여섯 — 기도

하나님, 오늘 배운 말씀을 통해 예수님이 행하신 놀라운 일을 알게 해 주셔서 감사해요. 예수님은 배고파하는 사람들에게 먹을 것을 주셨어요. 예수님은 죄에 빠진 우리가 스스로를 구원할 수 없다는 것을 아시고 십자가에서 우리 대신 죽으시고 다시 살아나셨어요. 하나님, 예수님을 보내 주셔서 감사해요. 예수님의 이름으로 기도합니다. 아멘.

일곱 — 암송송

성경에서 요한복음 20장 31절을 펴고 큰 소리로 여러 번 따라 읽게 한다.

2단원 암송 구절을 보면 하나님이 왜 이 이야기를 성경에 쓰셨는지 알 수 있어요. 예수님은 하나님이 보내기로 약속하신 메시아시라는 사실을 우리가 믿게 하시려는 거예요. 예수님을 믿고 의지할 때 우리는 하나님과 함께 영원히 살게 되어요.

암송송(163쪽)에 맞추어 손유희를 하며 말씀을 익힌다.

"오직 이것을 기록함은 너희로 예수께서 하나님의 아들 그리스도이심을 믿게 하려 함이요 또 너희로 믿고 그 이름을 힘입어 생명을 얻게 하려 함이니라"(요 20:31).

가스펠 소그룹

알콩달콩 말씀 놀이

보리떡과 물고기를 찾아요!

준비물 ▶ 유치부 교재 18쪽, 색연필

이야기 나누기

- 5천 명이 넘는 수많은 사람이 왜 모였나요?
- 왜 예수님은 배고픈 사람들을 돌려보내지 않으셨나요?
- 예수님은 어떻게 수많은 사람을 배불리 먹이셨나요?

❶ 그림을 보고 예수님이 소년의 도시락인 보리떡 5개와 물고기 2마리로 5천 명이 넘는 사람들이 배불리 먹을 수 있도록 기적을 베푸셨다고 이야기해 준다.

❷ 그림에서 **보기** 의 보리떡 5개와 물고기 2마리를 찾아 ○표 하게 한다.

인도자 예수님은 사람들에게 하나님과 하나님 나라에 대해 가르치시고, 아픈 사람들을 고쳐 주셨어요. 날이 저물자 사람들은 배가 고파졌어요. **예수님은 5천 명이 넘는 사람들을 먹이셨어요.** 보리떡과 물고기를 배불리 먹을 수 있도록 기적을 행하셨지요. 예수님은 하나님이 보내기로 약속하신 바로 그분이세요. 예수님은 우리에게 필요한 모든 것을 주세요. 무엇보다 예수님은 우리에게 가장 필요한 죄에서의 구원을 위해 십자가에서 죽으시고 다시 살아나셨어요. 사랑의 예수님을 믿고 의지할 때 우리는 하나님과 함께 영원히 살게 되어요.

좋아요, 싫어요? *

❶ 인도자가 아이들에게 음식 이름을 말할 텐데, 좋아하는 음식이면 인도자의 오른쪽에, 싫어하거나 아주 배가 고플 때만 겨우 먹을 정도의 음식이면 인도자의 왼쪽에 서라고 한다.

tip 오른쪽과 왼쪽을 구분하기 어려워하는 아이를 위해 ○X 또는 웃는 이모티콘과 울상인 이모티콘을 각각 프린트한 종이를 예배실 양쪽 벽면에 붙여 두는 등 약속된 표시를 하는 것도 좋다.

예) 짜장면, 상추, 볶음밥, 당근 샐러드, 피자, 김치찌개, 브로콜리, 감자 볶음, 보리빵, 꿀떡, 생선 요리 등.

인도자 예수님은 배고픈 사람들에게 먹을 것을 주셨어요. 보리떡 5개와 물고기 2마리뿐이었지만 모든 사람이 배불리 먹을 수 있도록 기적을 베푸셨어요. **예수님은 5천 명이 넘는 사람들을 먹이셨어요.** 예수님은 우리에게 필요한 모든 것을 주세요. 예수님을 믿고 의지할 때 예수님은 우리를 용서하시고, 하나님과 친해지게 하시며, 하나님과 함께 영원히 살게 해 주세요.

내게 필요한 것은 무엇일까요? *

준비물 ▶ 다양한 상황에 필요한 물건(휴지, 빗, 샴푸, 일회용 밴드, 수건, 성경책, 십자가, 담요, 장갑 등)

❶ 인도자가 무언가 필요한 사람의 다양한 상황을 마임으로 연기하면 아이들이 알아맞히는 게임이다.

예) 배고픈 사람, 대변이 급한 사람, 세수한 사람, 머리카락을 말리는 사람, 아픈 사람, 두려운 사람, 슬픈 사람, 겁이 나는 사람 등.

인도자 예수님이 사람들을 가르치시고 아픈 사람들을 고치시는 사이에 해가 저물어 저녁이 되었어요. 사람들은 몹시 배가 고팠지요. **예수님은 5천 명이 넘는 사람들을** 보리떡과 물고기로 **먹이셨어요.** 예수님은 우리에게 필요한 모든 것을 주실 수 있어요. 우리의 몸에 필요한 것들만 주시는 것이 아니라 우리의 마음과 영혼에 필요한 것을 주실 수 있지요. 우리는 죄 때문에 하나님 나라에서 평안과 기쁨으로 살 수 없어요. 하지만 예수님을 믿고 의지하면 예수님이 우리의 죄를 용서하시고, 하나님과 사이가 좋아지게 하시며, 하나님과 함께 영원히 살게 해 주세요. 우리 모두 구원의 예수님을 믿어요.

가득 채워요 *

준비물 ▶ 종이컵, 작은 물고기 모양 과자, 작게 자른 빵, 젓가락

❶ 아이들에게 작은 물고기 모양 과자를 '물고기'라고 하고, 작게 자른 빵을 '보리떡'이라고 하자고 말한다.

❷ 종이컵과 젓가락을 하나씩 나누어 준 후 '보리떡' 5개와 '물고기' 2마리를 젓가락으로 집거나 찍어 종이컵에 담아 보게 한다.

❸ 처음에는 보리떡 5개와 물고기 2마리밖에 없었지만, 사람들이 먹고 남은 음식을 제자들이 거두었을 때는 몇 광주리나 남았는지 아이들과 이야기를 나누어 본다.

❹ 아이들에게 '보리떡'과 '물고기'를 젓가락으로 집거나 찍어 종이컵을 가득 채워 보라고 한다.

인도자 **예수님은 5천 명이 넘는 사람들을** 보리떡 5개와 물고기 2마리로 **먹이셨어요.** 예수님이 배고픈 사람들에게 먹을 것을 주신 것처럼, 예수님은 우리에게 필요한 모든 것을 주실 수 있어요. 예수님은 십자가에서 죽으시고 부활하셔서 우리를 죄에서 구원하셨어요. 우리에게 가장 필요한 구원을 선물해 주셨지요. 예수님께 감사드려요.

떡의 종류를 맞혀 보세요 *

준비물 ▶ 다양한 종류의 떡(송편, 백설기, 꿀떡, 보리떡, 가래떡 등), 눈가리개, 포크, 접시

❶ 아이들과 함께 다양한 종류의 떡을 맛본 후 떡의 종류와 이름을 알아보는 시간을 갖는다.

❷ 한 명씩 차례로 눈가리개를 채운 후 떡을 조금 잘라 먹여 준다. 어떤 종류의 떡인지 알아맞혀 보라고 한다.

인도자 **예수님은 5천 명이 넘는 사람들을 먹이셨어요.** 다음 날 예수님은 자신이 '생명의 떡'이라고 말씀하셨어요. 우리에게 필요한 모든 것을 주실 수 있는 분은 오직 예수님뿐이세요. 예수님은 우리를 용서하시고, 하나님과 사이가 좋아지게 하시며, 하나님과 함께 영원히 살게 해 주세요.

간식 봉투를 꾸며요 *

준비물 ▶ 간식 봉투, 빵, 음료수(생수, 우유, 주스), 색연필, 사인펜, 말씀 라벨지(요한복음 6장 35절, "예수께서 이르시되 나는 생명의 떡이니"라는 말씀을 적은 라벨지)

❶ 간식 봉투에 말씀 라벨지를 붙이고 색연필과 사인펜으로 꾸미는 시간을 갖는다.

❷ 간식 봉투에 빵과 음료수를 담은 후 교회의 성도들이나 지역사회 및 이웃 중에서 예수님의 사랑이 필요한 분들에게 전해 주도록 한다.

인도자 예수님은 배고픈 사람들에게 먹을 것을 주셨어요. 하나님은 종종 다른 사람을 통해 우리의 필요를 채워 주세요. 소년의 도시락으로 수많은 사람을 먹이셨던 것처럼, 하나님은 우리를 통해 다른 사람의 필요를 채워 주실 수 있어요. 우리가 만든 간식 봉투가 5천 명을 먹이지는 못하더라도, 간식 봉투를 받은 사람들에게는 도움을 줄 수 있을 거예요. 우리에게 필요한 모든 것을 주실 수 있는 분은 오직 예수님뿐이세요. 예수님은 십자가를 지심으로 우리에게 꼭 필요한 구원을 선물해 주셨어요.

보리떡과 물고기 도시락을 만들어요 *

DVD

준비물 ▶ 174쪽 '보리떡 5개와 물고기 2마리' 그림(또는 지도자용 팩), 갈색 도화지, 색연필, 풀, 안전 가위

❶ 아이들에게 갈색 도화지를 나누어 주고 색연필로 바구니를 그린 후 안전 가위로 오려 '도시락'을 완성하게 한다.

tip 가위질이 어려운 아이는 교사가 도와준다.

❷ 174쪽 '보리떡 5개와 물고기 2마리' 그림(또는 지도자용 팩)을 잘라 '도시락'에 풀로 붙이고, 보리떡과 물고기들을 색칠하라고 한다.

인도자 제자들이 보리떡 5개와 물고기 2마리로는 사람들을 먹이기에 턱없이 부족하다고 말했지만, **예수님은** 소년의 도시락으로 **5천 명이 넘는 사람들을 먹이셨어요.** 오직 하나님만 하실 수 있는 기적이지요! 하나님의 아들이신 예수님은 우리에게 필요한 것을 주세요. 예수님은 우리를 용서하시고, 하나님과 함께 영원히 살게 해 주세요.

소곤소곤 꿀~꺽 간식

준비물 ▶ 큰 빵, 우유

❶ 카운트다운 영상, 정리하기 노래 등을 활용해 활동이 끝났음을 알린다. 아이들에게 주변을 정리하게 하고, 화장실에 가거나 물티슈 등을 이용해 손을 씻을 시간을 준다.

❷ 감사 기도를 드리고 우유를 간식으로 나누어 준다. 예수님이 보리떡 5개와 물고기 2마리를 들고 하늘을 향해 감사 기도를 드리고 작은 조각으로 나누어 주신 것처럼 큰 빵을 높이 들고 감사 기도를 드린 후 아이들에게 한 조각씩 잘라서 나누어 준다. 예수님이 5천 명이 넘는 사람들을 먹이셨다는 점을 떠올려 준다. 다음 날 예수님은 자신이 생명의 떡이라고 말씀하셨다는 것을 다시 한 번 기억하게 한다.

❸ 간식을 먹은 후 마무리 정리를 잘하도록 지도한다.

오순도순 마무리

준비물 ▶ 유치부 교재 41쪽 메시지 카드, 소그룹 활동지, 파일

❶ 이번 주 메시지 카드로 부모님과 함께 오늘 배운 성경 이야기를 나누어 보라고 한다.

가족과 활동해요

- 지역 노숙자 센터에 문의해 도움이 필요한 부분이 있는지 알아보고 이웃 가정과 힘을 합해 필요를 채워 주세요.
- 가족이 함께 지역의 무료 급식소를 방문해 봉사해 보세요.

❷ 나만의 기록장에 기록할 내용을 소개하고, 소그룹 활동지를 떼어 파일에 끼운 뒤 가방에 정리하게 한다.

❸ 아이들을 위해 기도한다.

인도자 하나님, 예수님을 보내 우리를 죄에서 구원해 주셔서 감사해요. 우리는 예수님을 믿고 죄를 용서받아 하나님과 사이가 좋아졌으며, 하나님 나라에서 하나님과 함께 영원히 살 수 있게 되었어요. 감사해요. 예수님의 이름으로 기도합니다. 아멘.

❹ 아이를 데리러 온 부모에게 아이가 특별히 즐거워했거나 잘했던 활동들에 대해 이야기해 주고, 가정에서 성경 읽기와 가족 활동을 진행할 수 있도록 격려한다.

나만의 기록장

나에게 필요한 물건과 마음 그리기

칼럼

예측 가능한 흐름이 주는 안정감

누구나 한두 번쯤은 일 처리 과정이나 요리 등 일반적으로 정해 놓은 순서나 흐름을 무시해서 낭패를 당하거나 자주 사용하던 물건이 제자리에 없어서 곤란했던 적이 있을 것입니다. 여러 사람이 사용하는 물건이나 일정을 공유할 때는 보관 장소나 약속 등을 정해놓는 것이 유익합니다. 이 간단한 개념을 소그룹이나 유치부 운영에 어떻게 적용할 수 있을까요?

체계화

어린이 사역 전반에 체계가 필요합니다. 예배를 포함한 각종 프로그램에서 일정한 순서를 정해 보십시오. 지도자와 교사들이 흐름과 순서를 정해 두면 아이들은 다음 순서를 예측하고 학습을 위한 정서적인 준비를 하게 됩니다.

효율성

아이들이 편안하게 느끼는 일정한 순서가 있을 때 아이들은 안정감을 느끼고, 교육의 효과도 증대되며, 진행도 원활해집니다.

좋은 습관

순서가 정해져 있으면 좋은 학습·태도를 기르는 데에도 도움이 됩니다. 아이들은 예측이 가능할 때 자신과 교사들이 긍정적인 반응을 할 수 있는 방향으로 행동하게 됩니다.

연령 적합성

흐름과 순서는 반드시 연령과 학습 성향에 맞게 정해야 합니다. 너무 어려운 과제가 주어지면 틀이 깨어질 수 있습니다.

소그룹 운영의 한 예를 소개합니다.

- 시작할 때 서로 인사를 나누며 출석 확인을 합니다.
- 성경을 찾아 펴게 한 뒤, 성경 이야기를 들려줍니다.
- 몸을 움직이는 활동을 합니다.
- 소그룹 활동지로 그날 배운 내용을 한 번 더 공부합니다.
- 기도로 마무리합니다.

이렇게 소그룹 운영의 순서와 흐름이 정해지면 아이들은 매주 소그룹 시간에 무엇을 할 것인지 예측하고, 다음 활동으로 옮겨 가는 것을 자연스럽게 익힙니다. 아이들과 만난 지 얼마 지나지 않아 무엇을 하라는 지시를 하지 않아도 다음 활동을 준비하는 아이들의 모습을 발견할 수 있을 것입니다.

팀 폴라드(Tim Pollard)는
익스플로어더바이블(Explore the Bible) 어린이 팀의 리더로
아이들이 성경을 깊이 이해하도록 돕는 사역을 하고 있습니다.

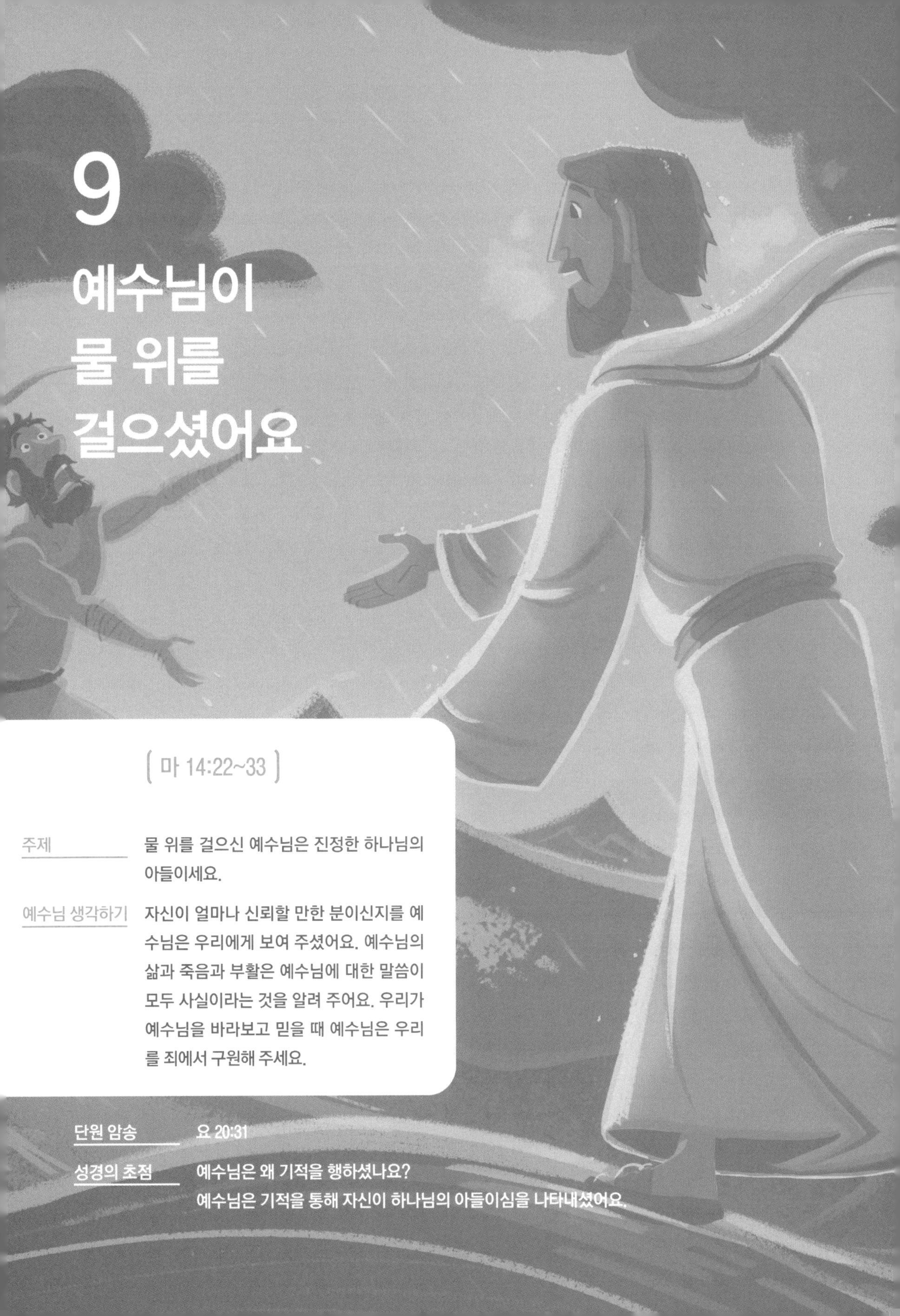

9

예수님이 물 위를 걸으셨어요

(마 14:22~33)

주제 물 위를 걸으신 예수님은 진정한 하나님의 아들이세요.

예수님 생각하기 자신이 얼마나 신뢰할 만한 분이신지를 예수님은 우리에게 보여 주셨어요. 예수님의 삶과 죽음과 부활은 예수님에 대한 말씀이 모두 사실이라는 것을 알려 주어요. 우리가 예수님을 바라보고 믿을 때 예수님은 우리를 죄에서 구원해 주세요.

단원 암송 요 20:31

성경의 초점 예수님은 왜 기적을 행하셨나요?
예수님은 기적을 통해 자신이 하나님의 아들이심을 나타내셨어요.

본문 속으로

예수님은 갈릴리 호숫가에서 5천 명이 넘는 사람들을 먹이신 후 돌려보내셨습니다. 그리고 제자들에게 호수를 다시 건너가라고 말씀하시고 혼자 산으로 기도하러 가셨습니다. 늦은 시간이었지만 하나님 아버지와 단둘이 있고 싶으셨기 때문입니다. 예수님은 하나님의 계획을 성취할 준비를 하고 계셨습니다. 오래지 않아 예수님은 십자가에서 죽으심으로 사람들을 죄에서 구원하실 것입니다.

예수님이 기도하시는 동안 호수를 건너던 제자들은 어려움을 겪고 있었습니다. 폭풍이 몰아쳐 배가 요동했기 때문입니다. 배는 도무지 물살을 헤쳐 나가지 못했습니다. 바로 그때, 이른 새벽 시간에 누군가 물 위를 걸어 제자들에게 다가오는 것이 보였습니다. 제자들은 유령이라고 생각했지만, 바로 예수님이셨습니다!

베드로가 예수님께 "주여 만일 주님이시거든 저에게 물 위로 걸어오라고 하십시오"라고 말하자 예수님은 그를 부르셨습니다. 베드로도 예수님처럼 물 위를 걸었습니다. 적어도 폭풍을 두려워하기 전까지 말입니다. 예수님에게서 거센 바람으로 눈을 돌리는 순간 그는 물에 빠져 버렸습니다. 베드로는 다급하게 "주여, 저를 구원하소서!"라고 소리를 질렀습니다.

예수님은 곧바로 손을 내밀어 베드로를 잡으시고는 배에 함께 오르셨습니다. 그러자 바람과 파도가 잔잔해졌습니다. 한순간 의심했던 베드로와 제자들은 예수님께 경배했습니다. 예수님은 평범한 사람이 아니셨습니다. 하나님의 아들이시며, 하나님이 약속하신 메시아가 분명했습니다.

예수님은 자신을 믿고 의지해도 된다는 사실을 증명하셨습니다. 예수님의 기적과 가르침, 죽음과 부활 사건을 보면 예수님이 자신에 관해서 하신 말씀이 모두 사실이라는 것을 알 수 있습니다.

●● 티칭 포인트

아이들을 가르칠 때, 매일의 삶 속에서 예수님을 믿음으로 바라보라고 말해 주십시오. 구원이 필요할 때만 예수님을 부르는 것이 아닙니다. 이 세상을 사는 동안 언제나 예수님을 찾아야 합니다. 또한 두려움과 의심 한가운데에서 우리는 빈손을 뻗어 예수님께 소리쳐야 합니다. "주여, 나를 구원하소서!" 예수님은 대답하실 것이고, 우리는 우리의 구원자 되신 주님께 경배로 응답하면 됩니다.

이야기 성경

예수님이 물 위를 걸으셨어요

마 14:22~33

예수님은 갈릴리 호숫가에서 많은 사람을 가르치고 계셨어요. 날이 저물자 예수님은 제자들에게 배를 타고 호수 건너편으로 먼저 돌아가 있으라고 말씀하셨어요. 예수님은 기도하시기 위해 혼자 산으로 올라가셨어요.

그날 저녁, 배가 호숫가에서 한참 멀어졌을 때 갑자기 바람이 불기 시작했어요. 거친 파도에 배가 이리저리 흔들렸지요. 예수님은 여전히 산에 혼자 계셨어요.

새벽 무렵에, 예수님이 물 위를 걸어 제자들에게 다가오셨어요. 제자들은 누군가 물 위를 걸어 자신들에게 걸어오는 모습을 보고는 겁에 질렸어요! 제자들은 "유령이다!"라고 소리를 질렀어요. 예수님은 "안심해라! 나다!"라고 말씀하셨어요.

제자 중에 베드로가 말했어요. "주님, 정말 주님이 맞으시면 저도 물 위로 걸어오라고 말씀해 주십시오." 예수님은 "오너라!"라고 말씀하셨어요. 베드로는 배에서 내려 예수님을 향해 물 위로 걷기 시작했어요! 하지만 휘몰아치는 바람을 보고는 겁이 났지요. 그러자 베드로는 물에 빠지기 시작했어요. "주님, 살려 주세요!" 베드로는 다급하게 소리를 질렀어요. 예수님은 손을 뻗어 베드로를 붙잡으셨어요. 그러고는 "왜 나를 믿고 의지하지 않았느냐?"라고 말씀하셨지요.

예수님이 베드로를 데리고 배에 오르시자 바람이 멈추었어요. 배에 있던 사람들은 모두 예수님께 경배하며 "예수님, 당신은 분명히 하나님의 아들이십니다!"라고 말했어요.

●● 예수님 생각하기

자신이 얼마나 신뢰할 만한 분이신지를 예수님은 우리에게 보여 주셨어요. 예수님의 삶과 죽음과 부활은 예수님에 대한 말씀이 모두 사실이라는 것을 알려 주어요. 우리가 예수님을 바라보고 믿을 때 예수님은 우리를 죄에서 구원해 주세요.

가스펠 준비

싱글벙글 환영해요

DVD "기적"(지도자용 팩)을 튼다. 아이들을 반갑게 맞이하며 헌금과 기도를 도와준다. 예배 중 헌금 순서가 있다면 아이들이 헌금을 잘 간수하도록 돕는다. 가방과 외투를 정리하도록 안내한다. 새로 온 아이가 있다면 음수대와 화장실의 위치를 알려 주고, 보호자와 만나는 시간과 방법 등을 소개한다. 보호자들을 위한 안내문을 붙여 아이와 만나는 시간, 기다리는 장소, 헌금 방법, 아이에 대한 특별한 주의 사항을 교사에게 미리 알려 달라는 당부 등을 공지한다.

너랑 나랑 마음 열기

주제와 관련 있는 퍼즐이나 블록 등 아이들이 좋아하는 장난감을 몇 가지 비치해 두고 다양한 활동을 하며 예배를 준비하도록 돕는다. 아이들이 마음을 열고 오늘의 주제에 관심을 갖게 하며 예배에 집중할 수 있도록 도와준다. 교회 형편에 맞게 시간과 활동 방법을 조절한다.

누가 오래 볼까요? *

❶ 아이들을 2명씩 짝을 지은 후 서로의 눈을 깜빡이지 않고 오랫동안 쳐다보는 게임이라고 말해 준다. 둘 중에 먼저 눈을 깜빡인 아이가 진다는 게임의 규칙을 설명해 준다.

tip 서로 어떤 방해도 하지 않기로 약속하고 게임을 시작한다.

❷ 시간 여유가 있다면 자원하는 아이들을 대상으로 활동을 여러 번 반복한다.

인도자 다른 곳을 보지 않고 친구의 눈만을 오랫동안 쳐다보는 일은 정말 힘들었지요? 오늘의 성경 이야기에서 예수님의 제자 베드로는 예수님만을 바라보았어요. 그때 예수님은 베드로가 아주 특별한 일을 경험하게 해 주셨어요. 혼자서는 결코 할 수 없는 일이었지요. 하지만 베드로는 곧 예수님을 바라보지 않고 자기 주변을 보았어요. 그러자 과연 어떤 일이 일어났을까요? 오늘의 성경 이야기를 잘 들어 보세요.

선을 따라 걸어요 *

준비물 ▶ 3가지 색 테이프

❶ 3가지 색 테이프를 사용해 예배실 바닥에 선을 그어 둔다. 이때 3개의 선이 차례로 이어지도록 해야 한다.
예) 지그재그 모양 → 구불구불한 모양 → 나선형 등.

❷ 아이들을 첫 번째 선 뒤에 한 줄로 세운다.

❸ 선을 따라 걷되, 오른발로 선을 먼저 딛고 왼발의 뒤꿈치를 오른발의 발가락 앞에 딱 붙여서 걷는 식으로 걸어야 한다는 게임의 규칙을 설명해 준다.

인도자 선을 따라 걷는 것이 쉬웠나요? 어려웠나요? 가장 걷기 쉬운 선은 무슨 색깔의 선이었나요? 가장 어려운 선은요? 오늘의 성경 이야기에서 예수님과 베드로도 어떤 것 위를 걸었어요. 이야기를 잘 듣고 예수님과 베드로가 어떤 것 위를 걸었는지 알아보기로 해요.

예배 대형으로 모이기

- 카운트다운 영상, 모이기 노래 등을 활용해 예배 대형으로 바꾸고 마음을 준비하게 한다.
- 공간을 이동해야 한다면 인도자에게 시선을 고정하며 가도록 한다.

가스펠 설교

하나 — 들어가기

준비물 ▶ 플라스틱 대야, 물

플라스틱 대야에 물을 5cm 정도 깊이로 담아 예배실 앞쪽에 놓아 둔다.

여러분, 제가 물 위를 걸을 수 있을까요? 아니면 다른 선생님들은 할 수 있을까요? 아이들에게 교사들이 물 위를 걸으려고 시도한다면 어떤 일이 일어날지 예측할 기회를 준다. 그런데 오늘의 성경 이야기에 나오는 주인공들은 진짜 물 위를 걸었어요! 과연 누구누구일지 이야기를 잘 듣고 맞혀 보세요!

둘 — 성경 이야기

DVD 마태복음 14장을 편다. 설교 영상(지도자용 팩)을 보여 주거나 이야기 성경을 들려준다.

성경에 나오는 말씀은 모두 사실이에요. 오늘 우리가 들을 이야기도 실제로 일어났던 일이에요! 우리가 성경을 믿을 수 있는 이유는 성경이 하나님의 말씀이기 때문이에요. 오늘의 성경 이야기는 신약성경 중에 '마태복음'에 나온답니다.

셋 — 메시지와 정리

거친 파도로 배가 크게 흔들릴 때 예수님이 오셨어요. 예수님은 물 위를 걸으셨어요. **물 위를 걸으신 예수님은 진정한 하나님의 아들이세요.** 예수님은 베드로에게도 물 위로 걸어오라고 말씀하셨어요. 베드로도 물 위를 걸었어요. 하지만 눈을 예수님에게서 떼자 가라앉기 시작했어요. 예수님은 살려 달라고 소리치는 베드로의 손을 붙잡으셨어요. 예수님을 바라보고, 믿고, 의지할 때 예수님은 우리를 죄에서 구원하세요.

DVD 연대표(지도자용 팩)를 가리키면서 복습 질문을 한다.

1. 제자들이 배를 타고 호수를 건널 때 예수님은 무엇을 하고 계셨나요? 산에서 혼자 기도하고 계셨다
2. 새벽에 제자들은 호수 위에서 무엇을 보았나요? 예수님이 물 위로 걸어오시는 것을 보았다
3. 예수님과 함께 물 위를 걷고 싶어 한 사람은 누구인가요? 베드로
4. 베드로는 언제부터 물속으로 가라앉기 시작했나요? 예수님을 바라보지 않고 파도와 바람을 보고 겁이 났을 때

5. 베드로가 "주님, 살려 주세요!"라고 소리쳤을 때 예수님은 어떻게 하셨나요? 손을 뻗어 베드로를 붙잡으셨다

넷 — 성경의 초점

2단원의 '성경의 초점'은 **"예수님은 왜 기적을 행하셨나요?"**, **"예수님은 기적을 통해 자신이 하나님의 아들이심을 나타내셨어요"**예요. 물 위를 걸으신 예수님이 배에 타시자 배에 탄 사람들은 모두 예수님께 절을 했어요. "예수님, 당신은 분명히 하나님의 아들이십니다!"라고 말했지요. 예수님은 우리에게 예수님을 믿어도 된다는 것을 보여 주셨어요. 예수님의 삶과 죽음과 부활은 예수님에 대한 말씀이 모두 사실이라는 것을 알려 주어요. 우리가 예수님을 바라보고 믿을 때 예수님은 우리를 죄에서 구원하세요.

다섯 — 복음 초청

성경과 48쪽 복음 초청 가이드를 이용해서 아이들에게 그리스도인이 되는 법을 설명해 준다. 따로 상담해 줄 사람을 정해 주고 궁금한 점이 있으면 물어보도록 격려한다.

이 시간 예수님을 믿고 마음에 모시고 싶은 친구는 함께 기도해요.

여섯 — 기도

하나님, 예수님은 물 위를 걷는 놀라운 능력을 가지신 분이에요. 우리는 예수님이 하나님의 아들이심을 믿어요. 우리는 스스로를 구원할 수 없어요. 하지만 하나님은 우리가 예수님을 믿고 의지할 때 구원받게 해 주셨어요. 정말 감사해요. 베드로가 예수님만 바라보았을 때 물 위를 걸을 수 있었던 것처럼 우리도 언제나 예수님만을 바라보며 살아갈래요. 예수님의 이름으로 기도합니다. 아멘.

일곱 — 암송송

성경에서 요한복음 20장 31절을 펴고 큰 소리로 여러 번 따라 읽게 한다.

2단원 암송 구절은 예수님이 하나님의 아들이며 메시아이심을 우리에게 알려 주어요. 성경에는 예수님이 행하신 놀라운 이야기들이 많이 나와요. 그 이야기들을 들으면 하나님이 사람들을 죄에서 구원하기 위해 세상에 보내기로 약속하신 분이 바로 예수님이시라는 사실을 알 수 있어요.

암송송(163쪽)에 맞추어 손유희를 하며 말씀을 익힌다.

"오직 이것을 기록함은 너희로 예수께서 하나님의 아들 그리스도이심을 믿게 하려 함이요 또 너희로 믿고 그 이름을 힘입어 생명을 얻게 하려 함이니라"(요 20:31).

알콩달콩 말씀 놀이

비밀 그림을 찾아요

준비물 ▶ 유치부 교재 20쪽, 색연필

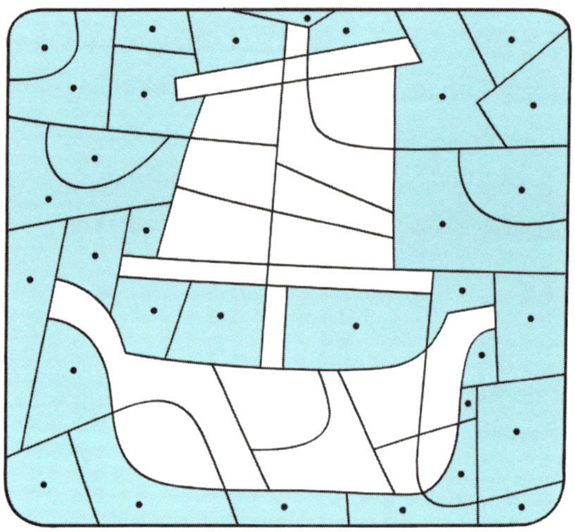

이야기 나누기

- 베드로는 어떻게 물 위를 걸을 수 있었나요?
- 베드로는 물 위를 걷다가 왜 물속에 빠졌나요?
- 예수님이 물 위를 걸으시는 모습을 본 사람들은 무엇을 알게 되었나요?

❶ 아이들에게 점이 찍힌 도형을 모두 색칠해 비밀 그림을 찾아 보라고 하고, 어떤 그림이 숨어 있는지 각자의 답을 들어 본다.

❷ 비밀 그림을 보면서 베드로가 호수에서 어떤 일을 겪었는지 기억해 보고 친구와 이야기를 나누게 한다.

인도자 예수님의 제자들은 배를 타고 호수를 건너고 있었어요. 그런데 누군가가 물 위로 걸어오는 모습을 보고는 깜짝 놀랐어요. 그분은 예수님이셨지요! **물 위를 걸으신 예수님은 진정한 하나님의 아들이세요.** 하나님의 아들이신 예수님은 무엇이든지 할 수 있는 분이세요. 그래서 베드로가 예수님만을 바라보고 의지했을 때 물 위를 걷게 해 주셨어요. 이처럼 예수님만을 바라보고, 믿고, 의지하면 예수님은 우리의 힘으로 할 수 없는 일들도 두려움 없이 해 낼 수 있는 힘을 주세요. 예수님은 우리 스스로는 절대로 없앨 수 없는 죄에서 우리를 구원해 준 구원자이시기 때문이에요.

언제나 예수님만을 바라보아요 *

❶ 아이들에게 예시된 상황을 겪었던 적이 있는지 물어보고, 그때 어떻게 행동했는지 이야기를 나누어 본다.

예) 어두움이 무서울 때, 기다리기 힘들 때, 아빠, 엄마가 다투어 무서울 때, 새로운 일을 시도하기가 두려울 때, 형/오빠/누나/언니가 때릴 때, 나누기 싫을 때, 누가 내 것을 마음대로 가져갈 때, 부모님의 말씀대로 하기 싫을 때, 거짓말하고 싶을 때, 다른 사람을 괴롭히고 싶을 때 등.

❷ 하나님은 우리가 힘든 상황을 겪을 때 어떻게 해야 할지를 가르쳐 주기 위해 말씀을 주셨다고 이야기해 준다. 각 상황에 도움이 되는 성경 구절을 찾아 읽어 준다.

예) 어두움이 무서울 때(시 89:8~9), 기다리기 힘들 때(잠 14:29), 아빠, 엄마가 다투어서 무서울 때(시 56:3), 새로운 일을 시도하기가 두려울 때(수 1:9), 형/오빠/누나/언니가 때릴 때(마 5:39), 나누기 싫을 때(마 5:42), 누가 내 것을 마음대로 가져갈 때(마 5:40), 부모님의 말씀대로 하기 싫을 때(엡 6:1), 거짓말하고 싶을 때(잠 12:22), 다른 사람을 괴롭히고 싶을 때(엡 4:32) 등.

tip 상황과 도움이 되는 말씀 목록을 파일로 정리해 부모님께 드려서 가정에서도 반복해 교육할 수 있도록 부탁한다.

인도자 **물 위를 걸으신 예수님은 진정한 하나님의 아들이세요.** 베드로도 예수님처럼 물 위를 걷고 싶었어요. 베드로가 예수님만을 바라보았을 때는 물 위를 걸을 수 있었지만 주위의 파도와 바람을 보자 물속에 가라앉기 시작했어요. 우리도 성경 말씀을 기억하며 예수님을 바라볼 수 있어요. 베드로가 예수님께 소리쳤을 때 예수님이 도와주신 것처럼, 예수님은 우리가 도움을 구할 때 우리를 도와주세요. 예수님을 바라보고, 믿고, 의지하면 예수님은 우리를 죄에서 구원하시고 예수님을 따르도록 도와주세요.

인형극 놀이를 해요 *

준비물 ▶ 175쪽 '예수님'과 '베드로' 그림(또는 지도자용 팩), 종이 접시, 안전 가위, 칼, 빨대(또는 나무젓가락), 셀로판테이프, 파란색 색연필

❶ 175쪽 '예수님'과 '베드로' 그림(또는 지도자용 팩)을 아이들의 수만큼 복사하거나 프린트해 둔다.

❷ 종이 접시 한가운데 길게 칼집을 낸 후 아이들에게 나눠 주고, 파란색 색연필로 칠해 호수로 꾸며 보게 한다.

❸ 안전 가위로 ❶을 자른 후 셀로판테이프를 이용해 빨대에 각각 붙이라고 한다.

tip 연령대가 낮은 경우 미리 오려 둔다.

❹ 종이 접시에 내어 둔 칼집 틈 뒤쪽에서 ❸을 밀어 넣고 아래쪽에서 손으로 막대기를 잡아 움직이면서 예수님과 베드로가 물 위를 걷는 것처럼 보이도록 조작하는 시범을 보여 주고, 아이들이 따라 할 수 있도록 지도한다.

tip 칼집 틈 뒤쪽에서 밀어 넣을 때 구겨지지 않도록 주의한다.

❺ 아이들에게 자신이 만든 작품으로 '물 위를 걷는 예수님과 베드로' 인형극을 해 보라고 한다.

인도자 **물 위를 걸으신 예수님은 진정한 하나님의 아들이세요.** 예수님의 삶과 죽음과 부활은 예수님에 대한 말씀이 모두 사실이라는 것을 알려 주어요. 우리도 예수님을 믿고 의지할 수 있어요. 예수님은 결코 우리를 실망시키지 않으세요. 우리가 예수님을 바라보고 믿을 때 예수님은 우리를 죄에서 구원하세요.

낙하산 파도를 만들어요 *

준비물 ▶ 낙하산(파란색 천), 스티로폼 공(볼풀 공)

❶ 아이들을 둥글게 세운 후 낙하산 가장자리를 잡게 한다.

❷ 다 같이 낙하산을 천천히 또는 재빨리 움직여 '파도'를 만들어 본다.

❸ 인도자가 스티로폼 공 여러 개를 낙하산 위에 올려놓을 텐데, 공이 떨어지지 않도록 낙하산을 이용해 '파도'를 일으키라고 말해 준다.

❹ 이번에는 '파도'를 거세게 일으켜서 낙하산에서 공이 튕겨 나가도록 만들어 보라고 한다.

❺ 시간 여유가 있다면 활동을 여러 번 반복한다.

인도자 바람이 휘몰아치고 파도가 거세지자 예수님의 제자들이 탄 배가 이리저리 흔들렸어요. 예수님은 파도가 크게 일렁일 때 제자들을 향해 물 위로 걸어오셨어요. **물 위를 걸으신 예수님은 진정한 하나님의 아들이세요.** 우리가 예수님을 바라보고 믿을 때 예수님은 우리를 죄에서 구원하세요.

예수님께로 눈길을 향해요 *

DVD

준비물 ▶ 175쪽 '예수님' 그림(또는 지도자용 팩), 가위

❶ 175쪽 '예수님' 그림(또는 지도자용 팩)을 잘라 둔다. 크게 복사해 사용하면 좋다.

❷ '예수님' 그림을 앞, 뒤, 왼쪽, 오른쪽, 대각선 등 다양한 방향으로 움직인다. 아이들에게 얼굴은 움직이지 말고 눈만 움직이며 '예수님' 그림을 바라보라고 이야기한다.

❸ 얼굴이 움직인 아이를 술래로 뽑아 '예수님' 그림을 이동시키는 인도자의 역할을 맡겨 활동을 반복한다.

인도자 **물 위를 걸으신 예수님은 진정한 하나님의 아들이세요.** 베드로는 예수님만을 바라보았을 때 물 위를 걷는 놀라운 일을 할 수 있었어요. 예수님의 삶과 죽음과 부활은 예수님에 대한 말씀이 모두 사실이라는 것을 알려 주어요. 우리가 예수님을 바라보고 믿을 때 예수님은 우리를 죄에서 구원하세요.

소곤소곤 꿀~꺽 간식

준비물 ▶ 푸딩, 막대 과자

❶ 카운트다운 영상, 정리하기 노래 등을 활용해 활동이 끝났음을 알린다. 아이들에게 주변을 정리하게 하고, 화장실에 가거나 물티슈 등을 이용해 손을 씻을 시간을 준다.

❷ 감사 기도를 드리고 푸딩과 막대 과자를 간식으로 나누어 준다. 막대 과자 두 개를 푸딩 위에 세워서 올리고 물 위를 걷는 흉내를 내 보라고 한다. 물 위를 걸으신 예수님과 베드로의 발밑은 어떤 느낌이었을지 상상해 보라고 한다. 예수님은 자신이 믿고 의지해도 되는 분이라는 것을 보여 주셨고, 예수님의 삶과 죽음, 그리고 부활을 보면 예수님이 자신에 대해 하신 말씀이 사실이라는 것을 알 수 있다고 말해 준다. 예수님을 바라보았을 때 베드로는 물 위를 걸을 수 있었지만 예수님에게서 시선을 떼어 주변을 바라보자 물속에 빠졌다고 말하면서 막대 과자를 푸딩에 푹 찔러서 물에 빠진 베드로의 발을 표현해 보라고 한다. 예수님을 바라보고, 믿고, 의지할 때 예수님이 우리를 죄에서 구원하신다고 다시 한 번 이야기해 준다.

❸ 간식을 먹은 후 마무리 정리를 잘하도록 지도한다.

오순도순 마무리

준비물 ▶ 유치부 교재 41쪽 메시지 카드, 소그룹 활동지, 파일

❶ 이번 주 메시지 카드로 부모님과 함께 오늘 배운 성경 이야기를 나누어 보라고 한다.

가족과 활동해요

- 수영장에 가서 아이가 물 위를 걸어 보도록 도와주세요. 구명조끼나 튜브를 사용하세요.
- 온 가족이 배에 탔던 경험을 회상하거나 배를 타 보세요. 물 위를 걸으신 예수님의 이야기를 나눠 보세요.

❷ 나만의 기록장에 기록할 내용을 소개하고, 소그룹 활동지를 떼어 파일에 끼운 뒤 가방에 정리하게 한다.

❸ 아이들을 위해 기도한다.

인도자 하나님, 예수님을 보내 주셔서 감사해요. 예수님은 우리에게 물 위를 걷는 놀라운 일을 보여 주셨고, 또 십자가에서 죽으시고 다시 살아나셨어요. 우리가 예수님을 믿고 의지해도 된다는 것을 보여 주셔서 감사해요. 우리가 날마다 예수님을 믿고 의지할 수 있도록 도와주세요. 예수님의 이름으로 기도합니다. 아멘.

❹ 아이를 데리러 온 부모에게 아이가 특별히 즐거워했거나 잘했던 활동들에 대해 이야기해 주고, 가정에서 성경 읽기와 가족 활동을 진행할 수 있도록 격려한다.

나만의 기록장

예수님을 바라보며 물 위를 걷는 내 모습 그리기

3 단원 고치시는 예수님

구약성경에서 하나님은 자신을 치료의 하나님이라고 표현하셨습니다. 긍휼이 풍성하신 하나님은 엘리야와 엘리사 선지자에게 병을 고치고 죽은 자를 살리는 능력을 주셨습니다. 하나님의 유일한 아들이신 예수님은 병자를 고치고 죽은 자를 살리실 뿐 아니라 십자가에서 죽으시고 다시 살아나셔서 죄와 죽음을 완전히 이기셨습니다. 하나님이 정하신 때가 되면 예수님은 다시 오셔서 병과 고통을 영원히 없애실 것입니다.

예수님이
중풍 병자를
고치셨어요

예수님이
귀신 들린 사람을
고치셨어요

예수님이
나사로를
살리셨어요

예수님이
여인을 고치시고
소녀를 살리셨어요

카운트다운

미술 시간

DVD 카운트다운 영상(**지도자용 팩**)은 예배 대형으로 모이거나 대형을 바꾸며 준비할 시간을 알리는 데 활용한다. 익숙해질 때까지 중간에 남은 시간을 알리는 것도 좋다.
예) "1분 전입니다", "30초 전입니다. 마음을 가다듬고 기도하며 하나님께 나아갑시다" 등.

단원 암송

내 영혼아 여호와를 송축하며 그의 모든 ★은택을 잊지 말지어다 그가 네 모든 죄악을 사하시며 네 모든 병을 고치시며(시 103:2~3).

★ 은택 : 하나님이 베풀어 주신 은혜

시편 103:2~3

원곡 : 성자의 행진(미국 민요)

작곡 : 제임스 M. 블랙
편곡 : 김효정

10 예수님이 중풍 병자를 고치셨어요

(막 2:1~12)

주제 예수님은 중풍 병자를 고치시고 그의 죄를 용서하셨어요.

예수님 생각하기 중풍 병자는 예수님이 병을 고쳐 주시기를 바랐어요. 하지만 예수님은 그보다 더 중요한 일을 해 주셨어요. 그의 죄를 용서해 주신 거예요. 예수님은 그의 병도 고쳐 주셨어요. 예수님은 병을 고치고 죄를 용서할 능력과 권한이 있으세요. 예수님은 예수님을 믿는 사람의 죄를 용서하세요.

단원 암송 시 103:2~3

성경의 초점 예수님은 사람들의 어떤 문제를 해결해 주시나요?
예수님은 사람들의 병을 고치시고, 죄를 용서하시고, 죽음에서 건지세요.

본문 속으로

예수님이 가버나움이라는 동네에 계실 때였습니다. 바리새인과 서기관들이 예수님의 가르침을 듣기 위해 왔습니다. 예수님이 무엇을 가르치시는지, 그리고 그 가르침이 옳은지 확인하고 싶었기 때문입니다. 예수님이 계시던 집은 사람들로 붐벼 발 디딜 틈이 없었습니다.

그때 네 사람이 중풍에 걸린 친구를 들것에 싣고 예수님을 찾아왔습니다. 예수님은 전에도 많은 병자를 고치셨는데, 그중에는 중풍 병자도 있었습니다(마 4:24, 8:6 참조). 중풍 병자의 친구들은 예수님이 하나님이 보내신 분이며 어떠한 병도 고치실 수 있다고 믿었습니다. 그 믿음은 행동으로 나타났습니다. 사람들 사이를 비집고 들어갈 수 없자 그들은 지붕으로 올라가 구멍을 뚫었습니다. 그리고 아픈 친구를 들것에 실은 채 예수님 앞으로 내렸습니다.

예수님이 중풍 병자에게 하신 말씀은 바리새인과 서기관들을 놀라게 했습니다. 예수님은 "일어나 걸어가라"라고 하지 않으시고 "네 죄가 용서받았다"라고 말씀하셨기 때문입니다. 종교 지도자들은 입을 다물고 있었지만, 예수님은 그들의 생각을 아셨습니다. 그들은 예수님이 오직 하나님만 하실 수 있는 일을 하며 신성 모독을 하고 있다고 생각했습니다. 하지만 사실 그것은 신성 모독이 아니었습니다. 예수님은 하나님이시고, 죄를 용서할 권한을 가지신 분이기 때문입니다.

예수님은 그들에게 "'네 죄가 용서받았다'라고 말하는 것과 '일어나 걸어가라'라고 말하는 것 중 어느 쪽이 쉽겠느냐?"라고 물으셨습니다. 단순히 생각하면 '네 죄가 용서받았다'라고 말하기가 더 쉬워 보일 수도 있지만, 사실 죄 용서는 오직 하나님만 하실 수 있는 일이기 때문에 더 어려운 일입니다. 성자 하나님이신 예수님에게는 병을 고치실 뿐 아니라 죄를 용서하실 능력과 권세도 있습니다. 예수님은 자신이 곧 십자가에서 중풍 병자의 죄를 대신 질 것도 알고 계셨습니다. 그 사랑을 증명하시기 위해 자신의 목숨을 내놓으신 것입니다.

●● 티칭 포인트

아이들에게 예수님은 중풍에 걸린 사람을 고치심으로 자신에게 죄를 용서할 능력이 있다는 사실을 종교 지도자들에게 증거하셨음을 알려 주십시오. 마가복음 2장 12절은 이 일을 지켜본 사람들의 반응을 이렇게 기록합니다. "그들이 다 놀라 하나님께 영광을 돌리며 이르되 우리가 이런 일을 도무지 보지 못하였다 하더라."

이야기 성경

예수님이 중풍 병자를 고치셨어요

막 2:1~12

여러 곳을 다니며 가르치시고 병을 고치시던 예수님은 가버나움에 있는 집으로 돌아오셨어요. 예수님이 집에 계신다는 소문을 듣고 많은 사람이 예수님의 가르침을 들으려고 왔어요. 예수님이 계신 집은 문 앞까지 사람들로 가득 차 발 디딜 틈이 없었어요.

바로 그때, 4명의 친구들이 예수님을 찾아왔어요. 한 사람을 들것에 싣고 왔지요. 그 사람은 중풍이라는 병에 걸려 걸을 수 없었어요. 그들은 예수님이 다른 사람들을 고쳐 주신 것처럼 자기들의 친구도 고쳐 주시기를 바랐어요. 하지만 도저히 사람들 틈을 비집고 예수님께 갈 수가 없었어요. 친구들은 들것을 메고 지붕으로 갔어요. 그러고는 예수님이 계신 곳 위의 지붕을 뜯어내고 아픈 친구를 들것에 눕힌 채로 예수님 바로 앞으로 내렸지요.

예수님은 친구들의 행동을 보고 기뻐하셨어요. 친구들에게는 믿음이 있었기 때문이에요. 그들은 걸을 수 없는 자기들의 친구를 예수님이 낫게 하실 수 있다고 믿고 있었어요. 예수님은 중풍 병자에게 "네 죄가 용서받았다!"라고 말씀하셨어요.

그런데 예수님의 말씀을 들은 종교 지도자들은 이렇게 생각했어요. '이 사람은 자기가 누구라고 생각하는 거지? 하나님을 모독하고 있구나! 죄를 용서하실 분은 오직 하나님뿐이신데!' 종교 지도자들의 말이 맞아요. 죄를 용서하실 분은 오직 하나님뿐이세요. 하지만 그들은 예수님이 성자 하나님이시라는 사실을 몰랐어요.

예수님은 종교 지도자들의 생각을 아셨어요. 그래서 "왜 그런 생각을 하느냐? 이 사람에게 '네 죄가 용서받았다'라고 말하는 것이 쉽겠느냐, 아니면 '일어나 걸어가라'라고 말하는 것이 쉽겠느냐?"라고 말씀하셨어요.

예수님은 사람들의 죄를 용서할 힘이 있으세요. 하지만 아픈 사람의 죄가 진짜 용서받았다는 것을 어떻게 알 수 있을까요? 그래서 예수님은 이 땅에서 죄를 용서할 능력이 자신에게 있다는 것을 보여 주셨어요. 그를 돌아보시며 "일어나 들것을 들고 집에 가라"라고 말씀하셨지요.

걸을 수 없었던 남자가 그 자리에서 바로 일어났어요. 자기가 누워 있던 들것을 들고 집으로 돌아갔지요. 예수님이 명령하신 대로 말이에요. 예수님이 아픈 사람을 고치신 거예요! 몰려 있던 사람들은 모두 하나님을 찬양하며 "이런 일은 한 번도 본 적이 없다!"라고 말했어요.

●● 예수님 생각하기

중풍 병자는 예수님이 병을 고쳐 주시기를 바랐어요. 하지만 예수님은 그보다 더 중요한 일을 해 주셨어요. 그의 죄를 용서해 주신 거예요. 예수님은 그의 병도 고쳐 주셨어요. 예수님은 병을 고치고 죄를 용서할 능력과 권한이 있으세요. 예수님은 예수님을 믿는 사람의 죄를 용서하세요.

가스펠 준비

싱글벙글 환영해요

DVD "나사로야 나오라"(지도자용 팩)를 튼다. 아이들을 반갑게 맞이하며 헌금과 기도를 도와준다. 예배 중 헌금 순서가 있다면 아이들이 헌금을 잘 간수하도록 돕는다. 가방과 외투를 정리하도록 안내한다. 새로 온 아이가 있다면 음수대와 화장실의 위치를 알려 주고, 보호자와 만나는 시간과 방법 등을 소개한다. 보호자들을 위한 안내문을 붙여 아이와 만나는 시간, 기다리는 장소, 헌금 방법, 아이에 대한 특별한 주의 사항을 교사에게 미리 알려 주기 등을 공지한다.

너랑 나랑 마음 열기

주제와 관련 있는 퍼즐이나 블록 등 아이들이 좋아하는 장난감을 몇 가지 비치해 두고 다양한 활동을 하며 예배를 준비하도록 돕는다. 아이들이 마음을 열고 오늘의 주제에 관심을 갖게 하며 예배에 집중할 수 있도록 도와준다. 교회 형편에 맞게 시간과 활동 방법을 조절한다.

친구를 찾아 세어 보아요 *

준비물 ▸ 색 도화지, 음악을 재생할 수 있는 도구(스마트폰, CD플레이어)

❶ 다양한 색깔의 색 도화지를 준비하되, 색깔마다 최소 2장 이상이 되도록 한다.

❷ 아이들에게 색 도화지를 한 장씩 고르라고 한다.

❸ 인도자가 음악을 틀면 색 도화지를 머리 위로 든 채 예배실을 걸어 다니고, 음악이 멈추면 같은 색깔의 색 도화지를 들고 있는 친구들을 찾아 함께 서야 한다고 이야기해 준다.

❹ 색깔마다 몇 명의 친구들이 있는지 큰 소리로 숫자를 함께 센다.
예) "주황색 친구들은 하나, 둘, 셋, 3명이에요!", "초록색 친구들은 하나, 둘, 셋, 넷, 4명이에요!" 등.

❺ 색 도화지를 걷어서 다시 나눈 다음 활동을 반복한다. 마지막에는 반드시 친구가 4명인 팀이 나오도록 색 도화지의 개수를 조정한다.

인도자 ○○[4명의 친구들이 모인 팀의 색]색의 도화지를 가진 친구들은 모두 몇 명인가요? 하나, 둘, 셋, 넷, 4명이군요! 오늘의 성경 이야기에는 병에 걸려 걸을 수 없었던 어떤 사람이 나오는데, 그에게도 4명의 친구들이 있었대요. 그들은 정말 좋은 친구들이었어요. 아픈 친구를 위해서 세상에서 가장 좋은 일을 해 주었거든요. 과연 무슨 일이 있었는지 함께 알아보아요.

도형을 가득 채워요 *

준비물 ▶ 마스킹 테이프, 음악을 재생할 수 있는 도구(스마트폰, CD플레이어)

❶ 예배실 바닥에 마스킹 테이프를 이용해 아이들이 모두 들어가 설 수 있을 만큼 큰 세모, 네모, 동그라미 모양을 만들어 둔다.

❷ 인도자가 음악을 틀면 도형 주위를 걸어 다니다가 음악이 멈추면 인도자가 부르는 도형 안에 모두 들어가서 서야 한다는 게임의 규칙을 설명해 준다.

❸ 활동을 여러 번 반복한다.

인도자 친구들이 모두 한 도형 안에 들어가 있으니 무척 비좁았지요? 오늘의 성경 이야기에 나오는 4명의 친구들은 걷지 못하는 그들의 친구를 예수님께 데려가고 싶었어요. 하지만 예수님이 계신 집이 너무 비좁아 그렇게 할 수가 없었지요. 하지만 그들은 예수님이 친구를 고쳐 주실 것을 믿었기 때문에 포기할 수 없었어요. 고민하던 그들은 마침내 친구를 예수님께 데려갈 방법을 생각해 냈어요! 과연 어떤 방법이었을까요? 이야기를 잘 듣고 그 방법이 무엇인지 알아보세요!

도르래 실험을 해요 *

준비물 ▶ 도르래, 밧줄, 양동이, 스티로폼 블록(스티로폼 공)

❶ 예배실에 도르래를 설치해 둔다. 둥근 고리를 이용해 도르래를 천장이나 가구에 부착한다.

❷ 도르래가 단단히 고정되었는지 확인한다.

tip 간단한 기계 작용을 배우는 데 도움이 되는 과학상자에 포함된 어린이용 도르래를 사용해도 좋다.

❸ 밧줄을 도르래에 걸고 한쪽 끝에 양동이를 단단히 매단다.

❹ 아이들에게 양동이에 스티로폼 블록을 담아 보라고 한다.

❺ 밧줄을 당겨 양동이를 위로 들어 올리는 법과 밧줄을 조금씩 놓아 양동이가 천천히 내려오게 하는 시범을 보여 주고, 한 명씩 차례로 체험해 볼 수 있도록 지도한다.

인도자 오늘의 성경 이야기에 나오는 주인공들은 아픈 친구를 위해 도르래로 물건을 옮기는 것과 비슷한 방법을 사용했어요. 그들에게 어떤 일이 있었는지 잘 들어 보세요.

예배 대형으로 모이기

- 카운트다운 영상, 모이기 노래 등을 활용해 예배 대형으로 바꾸고 마음을 준비하게 한다.
- 공간을 이동해야 한다면 4명이 한 팀이 되어 종이 한 장을 마주 잡은 상태로 가도록 한다.

가스펠 설교

하나 — 들어가기

인도자가 아이들 중에 한 명의 이름을 부르면서 "○○야, 일어나 걸어라!" 하고 위엄 있게 말하면 해당 아이는 일어나 예배실을 한 바퀴 돌고 제자리에 앉으면 된다고 말해 준다. 모든 아이의 이름을 한 번씩 부른다.

여러분은 일어나 걷는 일이 쉬웠지요? 하지만 오늘의 성경 이야기에는 병에 걸려 일어나 걷지 못하는 사람이 나와요. 예수님은 그에게 일어나 걸으라고 말씀하셨어요. 그는 어떻게 되었을까요? 일어나 걸었어요! 예수님이 그를 위해 병을 고쳐 주신 일 말고 또 어떤 일을 하셨는지, 이제 이야기를 잘 들어 보세요.

둘 — 성경 이야기

DVD 마가복음 2장을 편다. 설교 영상(지도자용 팩)을 보여 주거나 이야기 성경을 들려준다.

성경은 세상에서 가장 특별한 책이에요. 성경에는 하나님의 말씀이 들어 있고 성경에 들어 있는 모든 말씀은 사실이에요. 오늘의 성경 이야기는 '마가복음'에 나와요.

셋 — 메시지와 정리

4명의 친구들은 예수님이 고쳐 주실 것이라고 믿고 중풍 병자를 예수님께 데리고 갔어요. 예수님은 그들의 믿음을 기뻐하시고 아픈 사람의 죄를 용서하셨어요. 그런 다음 예수님은 그의 병도 고쳐 주셔서 자신에게 죄를 용서하는 능력이 있다는 것을 종교 지도자들에게 보여 주셨어요. 중풍 병자였던 남자가 일어나 집으로 걸어가자 사람들은 하나님을 찬양했어요!

DVD 연대표(지도자용 팩)를 가리키면서 복습 질문을 한다.

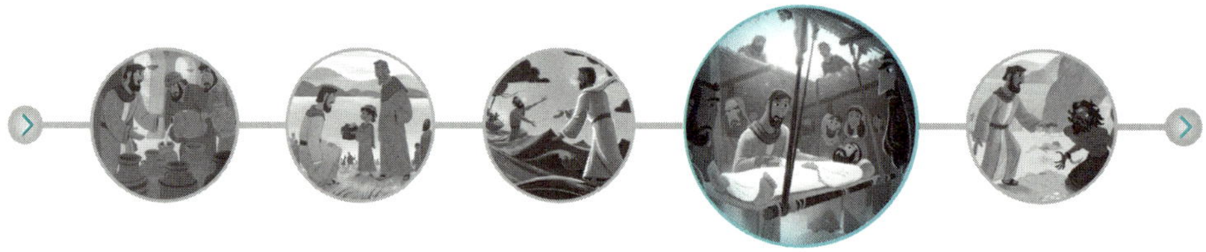

1. 4명의 친구들은 왜 아픈 친구를 예수님께 데려갈 수 없었나요? 예수님이 계신 집이 사람들로 가득 차서
2. 그들은 아픈 친구를 어떻게 예수님께 데려갔나요? 집의 지붕을 뜯어내고 친구를 실은 들것을 예수님 앞으로 내렸다
3. 종교 지도자들은 예수님께 죄를 용서하는 능력이 있다는 것을 믿었나요? 믿지 않았다

4. 예수님이 중풍 병자에게 일어나 집으로 가라고 말씀하셨을 때 어떤 일이 일어났나요? 그가 일어나 집으로 걸어갔다

5. 사람들은 중풍 병자의 병이 나은 모습을 보고 어떻게 했나요? 하나님을 찬양했다

넷 — 성경의 초점

3단원의 '성경의 초점'은 **"예수님은 사람들의 어떤 문제를 해결해 주시나요?"**, **"예수님은 사람들의 병을 고치시고, 죄를 용서하시고, 죽음에서 건지세요"**예요. 중풍 병자는 예수님이 병을 고쳐 주시기를 바랐어요. 하지만 예수님은 그보다 더 중요한 일을 해 주셨어요. 그의 죄를 용서해 주신 거예요. 예수님은 그의 병도 고쳐 주셨어요. 예수님은 병을 고치고 죄를 용서할 능력과 권한이 있으세요. 예수님은 예수님을 믿는 사람의 죄를 용서하세요.

다섯 — 복음 초청

성경과 48쪽 복음 초청 가이드를 이용해서 아이들에게 그리스도인이 되는 법을 설명해 준다. 따로 상담해 줄 사람을 정해 주고 궁금한 점이 있으면 물어보도록 격려한다.

이 시간 예수님을 믿고 마음에 모시고 싶은 친구는 함께 기도해요.

여섯 — 기도

사랑의 하나님, 중풍 병자와 4명의 친구들은 예수님이 하나님의 아들이심을 믿었어요. 우리도 예수님이 하나님의 아들이시라는 사실을 믿어요. 예수님을 믿는 모든 사람이 죄를 용서받고 구원받게 해 주셔서 정말 감사해요. 우리의 병도 고쳐 주시고 우리의 죄도 없애 주시는 능력의 예수님을 전하며 살고 싶어요. 우리에게 힘 주세요. 예수님의 이름으로 기도합니다. 아멘.

일곱 — 암송송

성경에서 시편 103편 2~3절을 펴고 큰 소리로 여러 번 따라 읽게 한다.

3단원 암송 구절은 오늘의 성경 이야기에 나온 사람들처럼 우리도 하나님을 찬양하라고 말해요. 하나님은 우리의 죄를 모두 용서하시고 우리의 병을 모두 고치실 수 있는 분이시기 때문이에요.

암송송(164쪽)에 맞추어 손유희를 하며 말씀을 익힌다.

"내 영혼아 여호와를 송축하며 그의 모든 은택을 잊지 말지어다 그가 네 모든 죄악을 사하시며 네 모든 병을 고치시며"(시 103:2~3).

가스펠
소그룹

알콩달콩 말씀 놀이

무슨 일이 있었나요?

준비물 ▶ 유치부 교재 22쪽, 33쪽 '중풍 병자 이야기' 그림, 풀

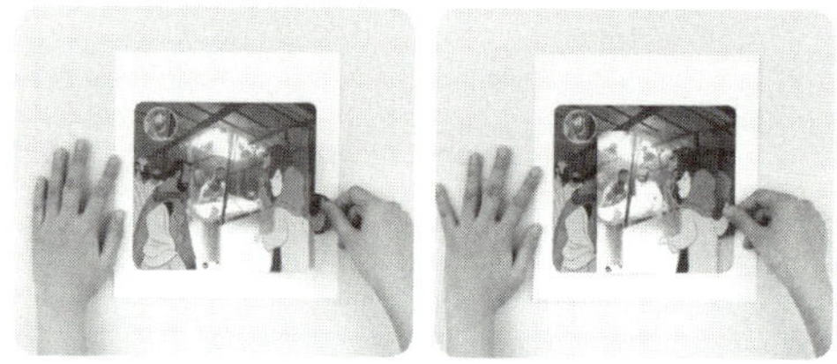

이야기 나누기

- 4명의 친구들은 왜 중풍 병자를 예수님께 데리고 갔나요?
- 예수님을 만난 후 중풍 병자는 어떻게 되었나요?
- 사람들은 예수님께 어떤 능력이 있다는 것을 알게 되었나요?

❶ 아이들에게 수많은 사람 사이에서 동그라미 속의 그림과 같은 예수님을 찾아 ○표 하라고 한다.

❷ 유치부 교재 33쪽 '중풍 병자 이야기' 그림을 떼어 접는 선대로 접고, ☆과 ☆를 풀로 붙인 후, ♡에 풀을 발라 점선 표시에 붙이게 한다.

❸ 소녀의 손을 밀어 중풍 병자가 어떻게 되었는지 살펴보게 한다.

인도자 예수님과 친구들을 찾았나요? 오늘의 성경 이야기에서 중풍에 걸려 걷지 못하던 사람이 친구들의 도움으로 예수님께 왔어요. 친구들은 걷지 못하는 친구를 어떻게든 예수님께 데려다주기 위해 예수님이 계신 집의 지붕까지도 뜯어냈어요. 능력의 **예수님은 중풍 병자를 고치시고 그의 죄를 용서하셨어요. 예수님은 사람들의 어떤 문제를 해결해 주시나요? 예수님은 사람들의 병을 고치시고, 죄를 용서하시고, 죽음에서 건지세요.**

씨줄과 날줄을 엮어 들것을 만들어요 *

준비물 ▶ 색 도화지, 커터 칼, 풀, 빨대, 셀로판테이프

❶ 색 도화지를 반으로 접고 접힌 선에서부터 가장자리에서 5cm 떨어진 곳까지 동일한 간격으로 5개의 칼집을 내어 씨줄을 만든다. 씨줄을 낸 색 도화지를 아이들의 수만큼 준비해 둔다.

❷ 여러 색깔의 색 도화지를 4cm 폭으로 길게 잘라 날줄을 만들어 둔다.

❸ 아이들에게 ❶의 씨줄에 ❷의 날줄을 엮는 시범을 보여 준다. 이때 날줄이 색 도화지의 끝까지 들어가도록 한다. 씨줄과 날줄을 고정하기 위해 풀로 붙여 준다.

❹ 아이들이 직접 씨줄과 날줄을 엮어 들것을 만들어 보도록 지도한다.

❺ 양쪽 끝에 각각 빨대를 놓고 도화지로 한 번 감아 셀로판테이프로 고정해 들것의 손잡이를 만들라고 한다.

인도자 4명의 친구들이 아픈 친구를 실은 들것도 우리가 만든 들것과 비슷하게 생겼을지 궁금하네요. 중풍 병자인 그는 걸을 수가 없었어요. 그래서 친구들이 들것에 실어 예수님께 데려갔지요. **예수님은 중풍 병자를 고치시고 그의 죄를 용서하셨어요.** 예수님은 병을 고치고 죄를 용서할 능력이 있으세요. 예수님은 걸을 수 있도록 아픈 사람의 몸만 고쳐 주신 것이 아니라, 죄를 용서하셔서 그의 영혼까지 고쳐 주셨어요! 언젠가 모든 병을 고치는 능력을 가지신 예수님이 다시 오시면 이 세상에 더 이상 아픈 사람이 없을 거예요. 정말 멋진 일이지요?

블록으로 집을 지어요 *

준비물 ▶ 블록, 블록 인형

❶ 아이들에게 블록으로 지붕이 있는 집을 지어 보라고 한다.
❷ 집이 완성되면 지붕을 뜯어내고 블록 인형을 납작한 블록에 실어 집 안으로 달아 내리는 역할극을 해 본다.

인도자 4명의 친구들은 집에 사람들이 가득 찼다고 해서 아픈 친구를 예수님께 데려가는 일을 포기하지 않았어요! 그들은 지붕을 뜯어내고 아픈 친구를 실은 들것을 예수님 앞으로 내려 보냈어요! **예수님은 중풍 병자를 고치시고 그의 죄를 용서하셨어요.** 중풍 병자에게 꼭 필요한 것이었지요. 예수님은 진정한 하나님의 아들이세요.

들것에 인형 친구를 실어 보아요 *

준비물 ▶ 마스킹 테이프, 책상, 수건, 인형

❶ 아이들을 4명씩 한 팀으로 나누고, 팀마다 수건 1개와 인형 3개를 나누어 준다. 수건은 '들것'이고, 인형은 '아픈 친구'라고 말해 준다.
❷ 마스킹 테이프를 이용해 출발선을 표시해 두고, 반대편에 책상 3개를 떨어뜨려 놓아 둔다.
❸ 출발선 뒤에 3팀을 세운다. 팀원끼리 힘을 합쳐 '들것'에 '아픈 친구'를 싣고 떨어지지 않도록 조심스럽게 걸어가 반대편 끝에 놓인 책상 위에 내려놓으라고 한다. 다시 출발선으로 돌아와 남은 '아픈 친구'들을 두 번에 걸쳐 모두 실어 나른 후 출발선으로 되돌아오면 된다고 말해 준다. 가장 먼저 들어온 팀이 이긴다.

tip 연령대가 높은 경우 인형을 떨어뜨리면 출발선으로 돌아와 다시 시작하게 해도 좋다.

인도자 4명의 친구들은 걷지 못하는 중풍 병자를 들것에 싣고 예수님께 데려갔어요. **예수님은 중풍 병자를 고치시고 그의 죄를 용서하셨어요.** 먼저, 예수님은 그의 죄부터 용서하셨어요. 예수님 자신이 하나님의 아들이시기 때문에 죄를 용서할 수 있다는 것을 보여 주신 거예요. 그다음으로 예수님은 그의 병을 고쳐 주셨어요. 예수님은 병을 고치고 죄를 용서하는 능력을 가지고 계세요.

소곤소곤 꿀~꺽 간식

준비물 ▶ 사람 모양의 쿠키, 네모 모양의 쿠키, 우유

❶ 카운트다운 영상, 정리하기 노래 등을 활용해 활동이 끝났음을 알린다. 아이들에게 주변을 정리하게 하고, 화장실에 가거나 물티슈 등을 이용해 손을 씻을 시간을 준다.

❷ 감사 기도를 드리고 사람 모양의 쿠키, 네모 모양의 쿠키, 우유를 간식으로 나누어 준다. 사람 모양의 쿠키와 네모 모양의 쿠키를 이용해 중풍 병자가 들것에 실려 가는 모습을 흉내 내 보도록 한다. 예수님이 중풍 병자를 고치시고 죄를 용서하셨다는 사실을 떠올려 준다. 예수님은 병을 고치고 죄를 용서하는 능력을 가지신 분이라고 다시 한 번 이야기해 준다.

❸ 간식을 먹은 후 마무리 정리를 잘하도록 지도한다.

오순도순 마무리

준비물 ▶ 유치부 교재 41쪽 메시지 카드, 소그룹 활동지, 파일

❶ 이번 주 메시지 카드로 부모님과 함께 오늘 배운 성경 이야기를 나누어 보라고 한다.

가족과 활동해요

- 장애를 가진 이웃을 도울 수 있는 방법을 생각해 보고 가족과 함께 실천하세요.
- 집 주변을 다니면서 장애인들에게 도움이 되는 장소나 불편을 주는 장소를 찾아 비교해 보세요. 장애인들의 편의를 돕는 시설들이 설치되게 해 달라고 하나님께 기도하세요.

❷ 나만의 기록장에 기록할 내용을 소개하고, 소그룹 활동지를 떼어 파일에 끼운 뒤 가방에 정리하게 한다.

❸ 아이들을 위해 기도한다.

인도자 사랑의 하나님, 우리에게 병을 고치는 능력과 죄를 용서하는 능력을 가지신 예수님을 보내 주셔서 감사해요. 능력의 예수님을 믿어요. 병으로 아파하고 슬퍼하는 사람들에게 예수님을 전해 주어 병도 고치고 구원받을 수 있도록 도와주며 살고 싶어요. 예수님의 이름으로 기도합니다. 아멘.

❹ 아이를 데리러 온 부모에게 아이가 특별히 즐거워했거나 잘했던 활동들에 대해 이야기해 주고, 가정에서 성경 읽기와 가족 활동을 진행할 수 있도록 격려한다.

나만의 기록장

아픈 친구와 그 곁에 계신 예수님 그리기

11

예수님이 귀신 들린 사람을 고치셨어요

(막 5:1~20)

주제 악을 이길 능력은 오직 예수님께만 있어요.

예수님 생각하기 예수님께는 악을 이길 능력이 있어요. 예수님만이 귀신 들린 사람을 도우실 수 있었어요. 예수님은 귀신 들린 사람에게 자유를 주셨어요. 예수님은 사람들을 죄와 악에서 풀어 주려고 이 땅에 오셨어요. 우리는 예수님이 우리를 죄와 악에서 구하실 것을 믿고 그 분을 의지할 수 있어요.

단원 암송 시 103:2~3

성경의 초점 예수님은 사람들의 어떤 문제를 해결해 주시나요?
예수님은 사람들의 병을 고치시고, 죄를 용서하시고, 죽음에서 건지세요.

본문 속으로

예수님에게는 적이 있었습니다. 예수님의 공적인 사역이 한창일 때, 종교 지도자들은 예수님을 죽일 음모를 꾸몄습니다(막 3:6 참조). 어느 날 예수님은 갈릴리 호수 동쪽에 있는 이방인들이 사는 땅으로 가셨습니다. 예수님의 이방인 사역은 유대인들이 예수님을 거부한 뒤에 결정하신 차선책이 아니었습니다. 시므온이라는 사람은 아기 예수님을 안고 예수님의 사역이 유대인과 이방인을 포함한 모든 사람을 위한 것이 될 것이라고 예언했습니다(눅 2:30~32 참조).

그 땅에는 예수님의 도움이 필요한 사람이 있었습니다. 귀신이 들려 큰 고통을 받는 사람이었습니다. 사람들이 쇠사슬로 묶어 제어하려고 했지만, 그는 쇠사슬을 끊어 버릴 정도로 힘이 셌습니다. 그는 혼자 무덤 사이에서 살며 밤낮으로 소리를 질렀습니다.

예수님이 배에서 내리시자 귀신 들린 사람이 달려와 엎드렸습니다. 예수님은 귀신에게 그 사람에게서 나오라고 명령하셨습니다. 그 사람 안에는 귀신이 많이 있었는데, 예수님은 그들이 돼지 떼에 들어가도 좋다고 허락하셨습니다. 귀신들이 나와 돼지 떼에 들어가자, 귀신 들렸던 사람이 온전하게 나았습니다.

고침을 받은 사람은 예수님과 함께 다니고 싶었지만, 예수님은 그에게 집으로 돌아가 예수님이 그를 위해 하신 일을 사람들에게 전하라고 말씀하셨습니다. 그는 예수님께 순종했습니다. 그 지역의 도시를 돌아다니며 예수님이 베푸신 긍휼에 대해 증언했고, 이 모습을 본 많은 이방인이 놀라워했습니다.

예수님은 선과 악, 모든 것의 왕이십니다. 예수님은 이렇게 가르치셨습니다. "그러나 내가 하나님의 성령을 힘입어 귀신을 쫓아내는 것이면 하나님의 나라가 이미 너희에게 임하였느니라"(마 12:28). 성경과 예수님은 사탄이 존재하는 것과 그가 하나님과 하나님의 목적에 반대한다는 것을 명확히 하고 있습니다.

●● 티칭 포인트

예수님은 십자가에서 죽으심으로 마귀를 멸하기 위해 이 땅에 오셨습니다. 그리고 승리하셨습니다. 오늘날에도 선과 악의 전투가 계속되고 있지만, 그 결과는 이미 정해져 있습니다. 예수님이 이기십니다. 언젠가 예수님은 악을 영원히 끝내실 것입니다. 아이들이 예수님이 승리하실 것을 믿고 기뻐할 수 있도록 인도해 주십시오.

이야기 성경

예수님이 귀신 들린 사람을 고치셨어요

막 5:1~20

어느 날 예수님은 제자들과 배를 타고 갈릴리 호수 건너편 지역으로 가셨어요. 그곳에서 예수님은 도움이 필요한 한 사람을 만나셨어요. 그에게는 심각한 문제가 있었어요. 그는 사실 혼자가 아니었어요. 그 사람 안에 귀신이 들어가 있었지요! 귀신은 그가 스스로 자신의 몸에 상처를 내게 하면서 그를 괴롭혔어요. 사람들이 그를 쇠사슬로 묶어 보려고 했지만, 그럴 때마다 쇠사슬을 끊었어요. 아무도 그의 힘을 당해 낼 수 없었지요. 그는 무덤가에서 혼자 살았어요. 그러면서 밤낮 큰 소리로 울부짖었어요.

예수님이 배에서 내리시자 귀신 들린 사람이 달려와 맞이했어요. 그는 예수님 앞에 무릎을 꿇었어요. 그러자 예수님이 귀신에게 "더러운 귀신아! 그 사람에게서 나오너라!"라고 명령하셨어요. 귀신 들린 남자는 크게 소리 지르며 말했어요. "가장 높으신 하나님의 아들 예수님, 당신이 저와 무슨 상관이 있습니까? 제발 부탁이니 저를 괴롭히지 마십시오!" 사실 이것은 그 사람 속에 있는 귀신이 하는 말이었어요.

예수님은 "네 이름이 무엇이냐?"라고 귀신에게 물으셨어요. 귀신은 "군대입니다"라고 대답했어요. 남자의 안에는 군대처럼 많은 수의 귀신들이 들어 있었던 거예요. 남자의 안에 있던 귀신은 제발 자기를 쫓아내지 말라고 예수님께 간청했어요.

근처 언덕에는 한 무리의 돼지들이 먹이를 먹고 있었어요. 귀신은 "우리를 내보내시려거든 저 돼지 떼에게 들어가게 해 주십시오"라고 말했어요. 예수님은 귀신이 남자에게서 나와 돼지 떼에게 들어가도록 허락하셨어요. 잠시 후 모든 돼지가 언덕을 뛰어 내려가 호수에 빠져 죽었어요.

돼지를 치던 사람들은 이 광경을 보고 달아나 마을과 그 근처에 사는 사람들에게 예수님이 하신 일을 알렸어요. 사람들은 예수님을 만나러 왔다가 무덤가에 살던 사람을 보았어요. 그는 귀신이 떠나서 이제 옷을 제대로 입고 올바르게 행동했어요. 완전히 나아 있었지요. 사람들은 겁이 나서 예수님께 떠나 달라고 부탁했어요.

예수님은 배에 오르셨어요. 귀신 들렸던 사람은 "저도 주님을 따라가도 되겠습니까?" 하며 간절히 부탁을 드렸어요. 하지만 예수님은 허락하지 않으시고, 집으로 돌아가라고 말씀하셨어요. "네 친구와 가족에게 가서 주님이 너를 도우신 일을 이야기해라." 그는 예수님의 말씀에 순종했어요. 집으로 돌아가 모든 사람에게 예수님이 자기를 위해 하신 일을 이야기했지요. 이야기를 들은 사람들은 모두 놀랐어요.

●● 예수님 생각하기

예수님께는 악을 이길 능력이 있어요. 예수님

만이 귀신 들린 사람을 도우실 수 있었어요. 예수님은 귀신 들린 사람에게 자유를 주셨어요. 예수님은 사람들을 죄와 악에서 풀어 주려고 이 땅에 오셨어요. 우리는 예수님이 우리를 죄와 악에서 구하실 것을 믿고 그분을 의지할 수 있어요.

가스펠 준비

싱글벙글 환영해요

DVD "나사로야 나오라"(지도자용 팩)를 튼다. 아이들을 반갑게 맞이하며 헌금과 기도를 도와준다. 예배 중 헌금 순서가 있다면 아이들이 헌금을 잘 간수하도록 돕는다. 가방과 외투를 정리하도록 안내한다. 새로 온 아이가 있다면 음수대와 화장실의 위치를 알려 주고, 보호자와 만나는 시간과 방법 등을 소개한다. 보호자들을 위한 안내문을 붙여 아이와 만나는 시간, 기다리는 장소, 헌금 방법, 아이에 대한 특별한 주의 사항을 교사에게 미리 알려 주기 등을 공지한다.

너랑 나랑 마음 열기

주제와 관련 있는 퍼즐이나 블록 등 아이들이 좋아하는 장난감을 몇 가지 비치해 두고 다양한 활동을 하며 예배를 준비하도록 돕는다. 아이들이 마음을 열고 오늘의 주제에 관심을 갖게 하며 예배에 집중할 수 있도록 도와준다. 교회 형편에 맞게 시간과 활동 방법을 조절한다.

동물 흉내를 내요 *

준비물 ▶ 다양한 동물 카드(돼지 그림 포함)

❶ 아이들을 마주 보고 둥글게 앉힌다. 술래 한 명을 정한다.
❷ 술래에게 동물 카드 한 장을 보여 준다.
❸ 아이가 말하지 않고 몸으로만 동물 흉내를 내면 나머지 아이들은 무슨 동물인지 맞혀야 한다고 말해 준다.
❹ 정답을 맞힌 아이를 다음 술래로 정해 활동을 반복한다. 맨 마지막 동물은 반드시 돼지로 한다.

인도자 오늘의 성경 이야기에서 예수님은 돼지 떼를 사용해 자신이 모든 것을 다스리는 능력이 있다는 것을 보여 주셨어요. 심지어 악을 이기는 능력까지도요! 이제 무슨 일이 있었는지 함께 알아보아요.

종이 사슬을 만들어요 *

준비물 ▶ 다양한 색 도화지, 가위, 셀로판테이프

❶ 다양한 색 도화지를 3cm 폭으로 길게 잘라 준비해 둔다.

❷ ❶로 고리를 만들어 사슬 모양으로 연결하는 법을 보여 준다. 고리를 셀로판테이프로 고정한다.

❸ 한 아이당 5개의 고리를 연결시켜 종이 사슬을 완성할 수 있도록 지도한다.

인도자 오늘의 성경 이야기에 나오는 한 사람은 귀신이 들려 스스로 자기 몸에 상처를 내곤 했어요. 사람들이 사슬로 묶으려고 해도 모두 끊어 버렸지요. 그가 끊어 버린 사슬은 우리가 만든 것 같은 종이 사슬이 아니었어요. 쇠로 만든 튼튼한 사슬이었지요! 예수님은 오직 하나님의 아들만 하실 수 있는 방법으로 귀신 들린 사람을 도와주셨어요. 과연 어떤 방법으로 도와주셨을까요? 이야기를 잘 듣고 알아보세요!

예배 대형으로 모이기

- 카운트다운 영상, 모이기 노래 등을 활용해 예배 대형으로 바꾸고 마음을 준비하게 한다.
- 공간을 이동해야 한다면 노를 젓는 시늉을 하며 "어기영차, 어기영차!"라고 말하며 가도록 한다.

가스펠 설교

하나 ― 들어가기

준비물 ▶ 마스킹 테이프

마스킹 테이프를 이용해 예배실 바닥에 배 모양을 그려 둔다. 아이들에게 '배'를 타고 이야기를 듣자고 말한 후 아이들을 배 안에 차례로 앉힌다.

예수님은 수많은 사람을 가르치셨어요. 그러다가 사람들을 떠나 제자들과 함께 배를 타고 호수 건너편으로 가셨지요. 그곳에는 오직 예수님만 도와주실 수 있는 한 사람이 있었어요.

둘 ― 성경 이야기

DVD 마가복음 5장을 편다. 설교 영상(지도자용 팩)을 보여 주거나 이야기 성경을 들려준다.

성경은 세상에서 가장 중요한 책이에요. 성경은 하나님의 말씀이 들어 있는 유일한 책이에요. 오늘의 성경 이야기는 신약성경 중 '마가복음'에 나와요.

셋 ― 메시지와 정리

예수님이 귀신 들린 사람을 고치셨어요. **악을 이길 능력은 오직 예수님께만 있어요.** 예수님은 귀신 들린 사람에게 자유를 주셨어요. 예수님은 사람들을 죄와 악에서 풀어 주려고 이 땅에 오셨어요. 우리는 예수님이 우리를 죄와 악에서 구하실 것을 믿고 그분을 의지할 수 있어요.

DVD 연대표(지도자용 팩)를 가리키면서 복습 질문을 한다.

1. 오늘의 성경 이야기에 나온 사람의 문제는 무엇이었나요? 귀신이 그 사람 안에 들어가 있었다
2. 예수님은 귀신에게 무엇이라고 말씀하셨나요? 그 사람에게서 나오라고 하셨다
3. 예수님은 귀신이 어디로 들어가도록 허락하셨나요? 돼지 떼
4. 귀신 들렸던 남자가 완전히 나은 것과 돼지 떼가 모두 죽은 모습을 본 사람들은 예수님께 무슨 부탁을 드렸나요? 떠나 달라고 했다
5. 예수님은 예수님을 따라가게 해 달라는 귀신 들렸던 사람에게 무엇이라고 말씀하셨나요? 집으로 돌아가 가족과 친구에게 주님이 자신을 어떻게 도우셨는지 이야기하라고 하셨다

넷 — 성경의 초점

3단원의 '성경의 초점'을 기억하나요? **"예수님은 사람들의 어떤 문제를 해결해 주시나요?"**, **"예수님은 사람들의 병을 고치시고, 죄를 용서하시고, 죽음에서 건지세요"**랍니다. 예수님은 십자가의 죽음과 부활로 병과 죄와 죽음을 이기셨어요. 예수님은 세상에 다시 오시는 날, 병과 죄와 죽음을 영원히 없애실 거예요.

다섯 — 복음 초청

성경과 48쪽 복음 초청 가이드를 이용해서 아이들에게 그리스도인이 되는 법을 설명해 준다. 따로 상담해 줄 사람을 정해 주고 궁금한 점이 있으면 물어보도록 격려한다.

이 시간 예수님을 믿고 마음에 모시고 싶은 친구는 함께 기도해요.

여섯 — 기도

하나님은 우리의 아픔과 고통을 다 아시고 우리를 불쌍히 여기시는 좋은 분이세요. 우리는 하나님을 믿어요. 하나님, 능력의 예수님을 보내 주시고 우리의 죄를 용서해 주시고, 우리의 병도 고쳐 주셔서 감사해요. 악한 귀신을 이기신 예수님을 믿으면서 예수님 안에서 두려움 없이 살아갈래요. 사랑과 능력이 많으신 예수님의 이름으로 기도합니다. 아멘.

일곱 — 암송송

성경에서 시편 103편 2~3절을 펴고 큰 소리로 여러 번 따라 읽게 한다.

3단원 암송 구절은 우리가 하나님을 찬양해야 할 많은 이유를 가르쳐 주어요. 하나님은 우리의 죄를 용서하시고, 우리의 병도 모두 고치실 수 있어요!

암송송(164쪽)에 맞추어 손유희를 하며 말씀을 익힌다.

"내 영혼아 여호와를 송축하며 그의 모든 은택을 잊지 말지어다 그가 네 모든 죄악을 사하시며 네 모든 병을 고치시며"(시 103 : 2~3).

가스펠
소그룹

알콩달콩 말씀 놀이

예수님, 도와주세요!

준비물 ▶ 유치부 교재 24쪽, 35쪽 '군대 귀신 들린 사람' 인형, 풀, 파란색 색연필

이야기 나누기

- 예수님은 귀신 들린 사람에게 무엇이라고 말씀하셨나요?
- 예수님의 말씀을 들은 그 사람에게 어떤 일이 일어났나요?
- 예수님은 어떤 능력을 갖고 계신가요?

❶ 예수님이 배를 타고 도움이 필요한 사람에게 가셔야 한다고 상황을 설명해 준다.

❷ 파란색 색연필로 뱃길을 그려 주라고 한다.

❸ 유치부 교재 35쪽 '군대 귀신 들린 사람' 인형을 떼어 ☆과 ☆을 붙인 후 그림의 ♡, △자리에 각각 ♡와 △를 풀로 붙이게 한다. 그림을 앞뒤로 넘겨 보며 예수님을 만나기 전과 후에 달라진 모습을 표현해 보게 한다.

인도자 예수님은 제자들과 함께 배를 타고 갈릴리 호수 건너편 지역으로 가셨어요. 그곳에서 귀신 들린 사람을 만나셨지요. 예수님이 그를 어떻게 도우셨지요? 그래요! 말씀으로 그 사람에게서 귀신을 내보내셨지요. 그 귀신은 돼지 떼에게 들어갔어요. 예수님은 악한 귀신을 이기셨어요. **악을 이길 능력은 오직 예수님께만 있어요.** 하나님의 아들이신 예수님은 모든 것을 이길 능력을 갖고 계세요. 예수님은 늘 우리와 함께 계시기 때문에 우리는 악한 것들을 두려워하지 않아도 된답니다.

주님이 하신 일을 친구에게 전해요 *

❶ 아이들을 서로 마주 보고 둥글게 앉힌다.

❷ 술래를 한 명 뽑아 친구 A에게 가서 "예수님이 사람들의 병과 죄와 죽음을 해결하셨어!"라고 외치라고 한다.

❸ 친구 A가 친구 B에게 가서 같은 활동을 반복한다. 이때 술래는 빈자리에 앉는다는 게임의 규칙을 설명해 준다.

tip 연령대가 낮은 경우 인도자의 말을 따라 외치도록 한다.

❹ 모든 아이가 외칠 때까지 활동을 반복한다.

인도자 예수님이 귀신 들린 사람을 고치셨어요. **악을 이길 능력은 오직 예수님께만 있어요.** 예수님은 그 사람에게 집으로 가서 가족과 친구들에게 주님이 하신 일을 전하라고 말씀하셨지요. 그는 집으로 가서 예수님이 하신 일을 모든 사람에게 전했어요. 이야기를 들은 사람들은 모두 놀랐지요. 예수님은 우리를 죄에서 자유롭게 해 주셨어요. 우리도 다른 사람들에게 예수님이 우리를 위해 하신 일을 전할 수 있어요!

옷을 갈아입혀요 *

준비물 ▶ 인형, 멋지고 예쁜 인형 옷

❶ 아이들에게 인형을 나누어 주고 멋지고 예쁜 인형 옷으로 갈아입혀 주라고 한다.

❷ 인형이 옷을 갈아입으니 어떻게 달라 보이는지 이야기를 나누어 본다.

인도자 예수님이 귀신 들린 사람을 고치셨어요. **악을 이길 능력은 오직 예수님께만 있어요.** 성경을 보면, 귀신 들렸던 남자가 완전히 나아 옷을 제대로 입고 있는 모습을 보고 사람들이 놀랐다고 쓰여 있어요. 사실 우리가 옷을 차려입었을 때를 생각해 보면, 겉모습은 달라졌지만 마음은 그대로지요? 하지만 이야기에 나오는 남자는 예수님이 마음과 영혼을 고쳐 주셨기 때문에 겉모습이 달라졌던 거예요! 예수님을 믿고 의지할 때 예수님은 우리의 마음을 고쳐 주시고 우리를 죄에서 자유롭게 해 주세요.

영상을 찍어요 *

준비물 ▶ 영상을 찍을 수 있는 도구(휴대 전화, 카메라 등), 마이크

❶ 영상을 찍을 수 있는 도구를 사용해 아이들이 다음의 질문 중 한두 가지에 대답하는 모습을 찍는다.

질문) 1. 누가 ○○○를 만드셨나요? 하나님

2. 예수님이 주신 것 중에 감사드리고 싶은 것이 있나요? 다양한 답이 가능하다

3. 예수님은 왜 십자가에서 죽으시고 다시 살아나셨나요? 나를 죄에서 구원하시려고

4. **예수님은 사람들의 어떤 문제를 해결해 주시나요? 예수님은 사람들의 병을 고치시고, 죄를 용서하시고, 죽음에서 건지세요.**

❷ 찍은 영상을 아이들에게 보여 준다. 가능하다면 큰 화면으로 볼 수 있게 한다.

인도자 예수님이 귀신 들린 사람을 고치셨어요. 예수님은 그에게 집으로 가서 가족과 친구들에게 주님이 자기를 도우신 이야기를 전하라고 하셨어요. 우리도 다른 사람들에게 하나님이 우리를 도우신 이야기를 전할 수 있어요! 우리는 영상이나 전화, 또는 직접 만나서 이야기할 수 있어요. 어떤 방법이든 하나님이 우리를 도우신 이야기를 전하는 것이 중요해요. 예수님이 사람들을 죄와 악에서 구원하신 이야기를 전해요.

소곤소곤 꿀~꺽 간식

준비물 ▶ 삶은 소시지, 과일 주스

❶ 카운트다운 영상, 정리하기 노래 등을 활용해 활동이 끝났음을 알린다. 아이들에게 주변을 정리하게 하고, 화장실에 가거나 물티슈 등을 이용해 손을 씻을 시간을 준다.

❷ 감사 기도를 드리고 삶은 소시지와 과일 주스를 간식으로 나누어 준다. 예수님은 모든 악을 이길 능력을 가진 분이시라고 이야기해 주고, 예수님을 믿고 자유를 얻은 사람처럼 자유롭고 즐겁게 간식을 먹자고 한다.

❸ 간식을 먹은 후 마무리 정리를 잘하도록 지도한다.

오순도순 마무리

준비물 ▶ 유치부 교재 41쪽 메시지 카드, 소그룹 활동지, 파일

❶ 이번 주 메시지 카드로 부모님과 함께 오늘 배운 성경 이야기를 나누어 보라고 한다.

가족과 활동해요

- 무속 신앙을 가진 사람들에게 복음을 전하는 선교사님들을 찾아보세요. 이때 무속 신앙의 모습을 너무 자세히 또는 무섭게 설명하지 않도록 주의하세요.
- 무속 신앙을 가진 사람들이 악을 버리고 예수님께 돌아올 수 있게 해 달라고 기도하세요.

❷ 나만의 기록장에 기록할 내용을 소개하고, 소그룹 활동지를 떼어 파일에 끼운 뒤 가방에 정리하게 한다.

❸ 아이들을 위해 기도한다.

인도자 하나님, 우리를 불쌍히 여겨 예수님을 보내 주셔서 십자가의 죽음과 부활로 악을 영원히 이기게 해 주심에 감사드려요. 악을 이기신 예수님을 믿는 우리는 죄에서 구원받아 평안하고 두려움 없이, 자유롭게 살아갈 수 있게 되었어요. 감사하고 사랑해요. 예수님의 이름으로 기도합니다. 아멘.

❹ 아이를 데리러 온 부모에게 아이가 특별히 즐거워했거나 잘했던 활동들에 대해 이야기해 주고, 가정에서 성경 읽기와 가족 활동을 진행할 수 있도록 격려한다.

나만의 기록장

능력의 예수님 그리기

12
예수님이 여인을 고치시고 소녀를 살리셨어요

(막 5:21~43)

주제 예수님은 병든 여인을 고치시고 죽은 소녀를 살리셔서 메시아의 능력을 보여 주셨어요.

예수님 생각하기 예수님은 메시아의 능력을 보여 주셨어요. 예수님은 사람들을 죄와 죽음에서 구원하려고 십자가에서 죽으시고 다시 살아나셨어요. 예수님을 믿을 때 하나님은 우리의 죄를 용서하시고 하나님과 함께 영원히 살게 해 주세요.

단원 암송 시 103:2~3

성경의 초점 예수님은 사람들의 어떤 문제를 해결해 주시나요?
예수님은 사람들의 병을 고치시고, 죄를 용서하시고, 죽음에서 건지세요.

본문 속으로

예수님이 거라사 지방에서 돌아오셨습니다. 그곳에서 예수님은 귀신 들린 남자를 고치셨습니다. 예수님이 갈릴리 호수를 건너오시자 많은 사람이 모였습니다. 예수님이 사람들을 가르치고 병을 고치신다는 소문을 들은 사람들은 예수님을 만나고 싶어 했습니다. 그들은 예수님께 가르침을 받고 병 고침을 받고 싶었습니다.

회당장 야이로가 절박한 심정으로 예수님을 찾아왔습니다. 딸의 목숨이 경각에 달려 있었기 때문입니다. 그의 딸은 예수님의 도움이 없다면 틀림없이 죽고 말 것입니다. 예수님은 야이로와 함께 가셨습니다. 그런데 예수님이 길을 가시는 동안 무리 가운데 있던 한 여인이 뒤에서 예수님의 옷자락을 만졌습니다. 그 여인도 절박하게 병 고침 받기를 원했기 때문입니다. 여인은 그분의 옷자락만 만져도 자기 병이 나을 것이라고 확신했습니다. 예수님은 이 믿음을 보고 여인을 고쳐 주셨습니다.

그사이 야이로의 딸이 죽었습니다. 그 소식을 듣고 야이로가 얼마나 낙담했을지 상상해 보십시오. 사람들은 너무 늦었다고 생각하고 예수님도 도우실 수 없다고 말했지만, 예수님은 그들이 틀렸다는 것을 증명하셨습니다. 야이로의 집으로 가셔서 소녀를 죽은 자 가운데서 일으키신 것입니다.

예수님은 병을 고치는 기적을 통해 메시아(그리스도)로서의 능력을 보여 주셨습니다. 예수님은 사람들을 죄와 죽음에서 구하려고 십자가에서 죽으시고 다시 살아나셨습니다. 예수님을 믿을 때 하나님은 우리 죄를 용서하시고 예수님을 더 닮아 가도록 우리를 변화시키십니다.

●● 티칭 포인트

아이들을 가르칠 때, 소녀의 아버지와 여인이 믿음으로 예수님께 나아왔다는 사실을 강조하십시오. 그들은 예수님의 도움이 필요했고, 예수님의 병 고치시는 능력을 믿었습니다. 예수님은 십자가에서 죽으시고 부활하신 후 하늘로 올라가셨습니다. 오늘을 사는 우리도 여전히 하나님께 병 고쳐 주시기를 간구할 수 있습니다. 하나님이 우리 몸의 병을 고쳐 주시든 아니든, 우리는 하나님이 그분의 아들 예수님을 통해 궁극적으로 우리를 치료하실 것을 알기에 평안을 누릴 수 있습니다.

이야기 성경

예수님이 여인을 고치시고 소녀를 살리셨어요

막 5:21~43

예수님은 배를 타고 갈릴리 호수를 건너셨어요. 수많은 사람이 예수님께 몰려들었지요. 그때 회당장 야이로가 달려와 예수님의 발 앞에 엎드렸어요. 야이로는 회당의 책임자였어요. 그는 예수님께 도와 달라고 간청했어요. "제 딸이 몹시 아픕니다. 예수님이 오셔서 딸 위에 손을 얹어 주시면 병이 낫고 살아날 것입니다." 예수님은 야이로와 함께 가셨어요. 수많은 사람도 예수님을 따라갔어요.

사람들 속에는 예수님의 도움이 필요한 여인이 또 있었어요. 그 여인은 오랫동안 '혈루증'이라는 병을 앓고 있었어요. 혈루증은 피를 계속 흘리는 병이에요. 여인은 의사들을 찾아다녔지만 아무도 병을 고치지 못했어요. 여인은 예수님이시라면 자기 병을 고쳐 주실 수 있을 것이라고 믿었어요. 그래서 손을 뻗어 예수님의 옷을 만졌지요. 그 순간, 갑자기 피가 멈추었어요. 여인은 자기 병이 나았다는 것을 알았어요!

예수님이 뒤를 돌아보며 "누가 내 옷을 만졌느냐?"라고 물으셨어요. 여인은 앞으로 나와 예수님 앞에 엎드렸어요. 그리고 사실대로 이야기했어요. 예수님은 여인에게 "딸아, 네 믿음이 너를 구원했다. 평안히 가라"라고 말씀하셨어요.

예수님이 말씀하시는 동안 야이로의 집에서 사람들이 와서 그에게 "따님이 죽었습니다. 예수님을 더 이상 번거롭게 하지 마십시오"라고 말했어요. 예수님은 그 말을 듣고 야이로에게 "두려워하지 말고 믿기만 하라"라고 말씀하셨어요.

예수님은 야이로의 집으로 가셨어요. 사람들이 큰 소리로 울고 있었어요. 예수님은 "왜 울고 있느냐? 이 아이는 죽은 것이 아니라 자는 것이다"라고 말씀하셨어요. 사람들은 예수님을 비웃었어요. 예수님이 틀렸다고 생각했지요.

예수님은 야이로와 그의 아내, 그리고 자기와 함께한 사람들을 데리고 아이가 있는 방으로 들어가셨어요. 그러고는 소녀의 손을 잡고 "소녀야, 일어나라"라고 말씀하셨어요. 그러자 아이가 일어나 방을 걸어 다니기 시작했어요! 아이의 부모는 깜짝 놀랐어요. 예수님은 이 일을 아무에게도 알리지 말라고 당부하신 후 아이에게 음식을 주라고 하셨어요.

●● 예수님 생각하기

예수님은 메시아의 능력을 보여 주셨어요. 예수님은 사람들을 죄와 죽음에서 구원하려고 십자가에서 죽으시고 다시 살아나셨어요. 예수님을 믿을 때 하나님은 우리의 죄를 용서하시고 하나님과 함께 영원히 살게 해 주세요.

가스펠 준비

싱글벙글 환영해요

"나사로야 나오라"(지도자용 팩)를 튼다. 아이들을 반갑게 맞이하며 헌금과 기도를 도와준다. 예배 중 헌금 순서가 있다면 아이들이 헌금을 잘 간수하도록 돕는다. 가방과 외투를 정리하도록 안내한다. 새로 온 아이가 있다면 음수대와 화장실의 위치를 알려 주고, 보호자와 만나는 시간과 방법 등을 소개한다. 보호자들을 위한 안내문을 붙여 아이와 만나는 시간, 기다리는 장소, 헌금 방법, 아이에 대한 특별한 주의 사항을 교사에게 미리 알려 주기 등을 공지한다.

너랑 나랑 마음 열기

주제와 관련 있는 퍼즐이나 블록 등 아이들이 좋아하는 장난감을 몇 가지 비치해 두고 다양한 활동을 하며 예배를 준비하도록 돕는다. 아이들이 마음을 열고 오늘의 주제에 관심을 갖게 하며 예배에 집중할 수 있도록 도와준다. 교회 형편에 맞게 시간과 활동 방법을 조절한다.

병원 놀이를 해요

준비물 ▶ 유치부 교재 26쪽, 연필, 병원 놀이 세트, 의료 용품(붕대, 위생 면봉, 주사기 등)

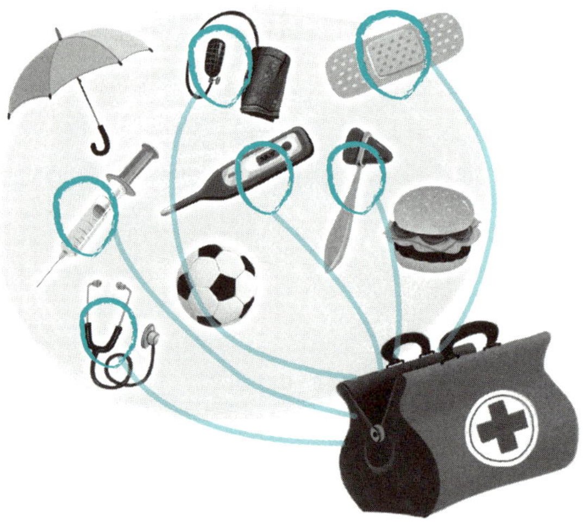

이야기 나누기

- 예수님은 사람들의 어떤 문제를 해결해 주시나요?
(예수님은 사람들의 병을 고치시고, 죄를 용서하시고, 죽음에서 건지세요.)

❶ 병원에서 사용하는 물건을 찾아 ○표 하고 구급 가방에 선으로 연결하라고 한다.

❷ 아이들에게 돌아가면서 '환자'와 '의사'가 되어 역할극을 해 보라고 한다.

❸ 환자가 의사를 찾아가는 흉내를 내고, 아픈 아기를 데리고 의사를 찾아가는 연기를 해 보라고 한다.

인도자 우리는 아프거나 다치면 의사를 찾아가요. 오늘의 성경 이야기에 나오는 여인도 오랫동안 아파서 의사를 찾아다녔대요. 하지만 아무도 그녀를 도와주지 못했지요. 여인은 예수님이시라면 자기를 도와주실 수 있을 것이라고 믿었어요. 그리고 진짜 병이 나았어요! 과연 여인이 어떻게 병이 낫게 되었는지, 이야기를 잘 들어 보세요.

의료 전문가에 관한 책을 읽어요 *

준비물 ▶ 의료 전문가에 대해 다룬 유아용 그림책

tip 의사나 간호사처럼 병들거나 부상당한 사람을 돌보는 직업을 가진 사람들에 대해 다루고 있는 책을 다양하게 준비한다. 책을 구하기 어려운 경우 지역 도서관에서 빌린다.

❶ 아이들과 함께 의료 전문가에 대해 다룬 유아용 그림책을 살펴본다.

❷ 아이들이 관심을 보이는 책이 있으면 큰 소리로 읽어 준다.

인도자 오늘의 성경 이야기에는 아주 심한 병에 걸린 한 소녀와 누구도 고칠 수 없는 병을 앓고 있는 한 여인이 나와요. 두 사람은 모두 예수님을 만났어요. 능력의 예수님을 만난 두 사람은 어떻게 되었을까요? 함께 말씀을 들어 보아요.

예배 대형으로 모이기

- 카운트다운 영상, 모이기 노래 등을 활용해 예배 대형으로 바꾸고 마음을 준비하게 한다.
- 공간을 이동해야 한다면 아픈 사람을 흉내 내며 가도록 한다.

가스펠 설교

하나 — 들어가기

아이들에게 다양한 상황을 제시하고 각 상황마다 누구에게 도움을 구하는지 물어본다.

예) 신발 끈을 묶을 때, 배가 고플 때, 아플 때, 마트에서 길을 잃었을 때, 목욕할 때 등.

오늘의 성경 이야기에는 도움이 필요한 두 사람이 나와요. 그들에게 도움을 줄 수 있는 분은 오직 한 사람이었지요. 그 한 사람이 누구인지 이야기를 잘 들어 보세요.

둘 — 성경 이야기

마가복음 5장을 편다. 설교 영상(지도자용 팩)을 보여 주거나 이야기 성경을 들려준다.

성경은 세상에서 가장 특별한 책이에요. 하나님의 말씀이 들어 있기 때문이에요. 성경에 들어 있는 이야기는 모두 실제로 있었던 일이에요. 오늘의 성경 이야기는 '마가복음'에 나온답니다.

셋 — 메시지와 정리

병든 여인과 야이로, 두 사람은 모두 예수님이 병을 고치실 수 있는 분이심을 믿었어요. **예수님은 병든 여인을 고치시고** 야이로의 딸인 **죽은 소녀를 살리셔서 메시아의 능력을 보여 주셨어요**. 예수님의 능력은 십자가에서 죽으시고 다시 살아나셨을 때 가장 확실하게 나타났어요. 예수님을 믿을 때 하나님은 우리의 죄를 용서하시고 하나님과 함께 영원히 살게 해 주세요.

연대표(지도자용 팩)를 가리키면서 복습 질문을 한다.

1. 예수님께 자기 딸을 고쳐 달라고 간청한 사람은 누구인가요? 회당장 야이로
2. 혈루증 걸린 여인이 예수님의 옷을 만졌을 때 어떤 일이 일어났나요? 병이 나았다
3. 예수님이 야이로의 집에 도착하시기 전에 야이로의 딸에게 어떤 일이 일어났나요? 죽었다
4. 예수님은 소녀에게 무엇이라고 말씀하셨나요? "일어나라"
5. 그러자 어린 소녀가 어떻게 했나요? 일어나서 방을 걸어 다녔다

넷 — 성경의 초점

3단원의 '성경의 초점'을 기억하고 있나요? **"예수님은 사람들의 어떤 문제를 해결해 주시나요?"** 아이들의 대답을 기다린다. 잘했어요! **"예수님은 사람들의 병을 고치시고, 죄를 용서하시고, 죽음에서 건지세요." 예수님은 병든 여인을 고치시고 죽은 소녀를 살리셔서 메시아의 능력을 보여 주셨어요.** 예수님은 사람들을 죄와 죽음에서 구원하려고 십자가에서 죽으시고 다시 살아나셨어요. 예수님을 믿을 때 하나님은 우리의 죄를 용서하시고 하나님과 함께 영원히 살게 해 주세요.

다섯 — 복음 초청

성경과 48쪽 복음 초청 가이드를 이용해서 아이들에게 그리스도인이 되는 법을 설명해 준다. 따로 상담해 줄 사람을 정해 주고 궁금한 점이 있으면 물어보도록 격려한다.

이 시간 예수님을 믿고 마음에 모시고 싶은 친구는 함께 기도해요.

여섯 — 기도

하나님, 우리를 사랑해 예수님을 보내 주셔서 감사해요. 우리는 병든 여인과 소녀를 고치신 능력의 예수님이 우리를 죄와 죽음에서 구원해 주셨음을 믿어요. 모든 사람이 우리처럼 사랑과 능력의 예수님을 믿고 아픔과 슬픔 없이 하나님과 함께 영원히 살면 좋겠어요. 많은 사람에게 예수님을 전하며 사는 우리가 되게 해 주세요. 예수님의 이름으로 기도합니다. 아멘.

일곱 — 암송송

성경에서 시편 103편 2~3절을 펴고 큰 소리로 여러 번 따라 읽게 한다.

우리에게는 하나님을 찬양할 이유가 정말 많아요. 하나님은 우리의 죄를 용서하려고 예수님을 보내 주셨어요. 예수님이 이 땅에 다시 오시는 날, 아픔과 죄가 모두 영원히 사라질 거예요!

암송송(164쪽)에 맞추어 손유희를 하며 말씀을 익힌다.

"내 영혼아 여호와를 송축하며 그의 모든 은택을 잊지 말지어다 그가 네 모든 죄악을 사하시며 네 모든 병을 고치시며"(시 103:2~3).

가스펠 소그룹

알콩달콩 말씀 놀이

치료자 예수님을 만나요!

준비물 ▶ 유치부 교재 27쪽, 35쪽 퍼즐, 풀

이야기 나누기

- 병든 여인은 어떤 마음으로 예수님의 옷을 만졌을까요?
- 예수님은 왜 야이로의 딸이 죽었다는 소식을 들으시고도 야이로에게 "두려워하지 말고 믿기만 하라"라고 말씀하셨을까요?
- 아프거나 슬퍼하는 친구에게 예수님은 어떤 분이시라고 소개할 수 있을까요?

❶ 오늘의 성경 이야기를 회상하며 유치부 교재 35쪽 퍼즐을 살펴보게 한다.

❷ 퍼즐을 떼어 그림을 완성하게 하고 야이로, 병든 여인, 죽은 소녀, 예수님을 각각 찾아 보게 한다.

❸ 예수님이 병든 여인과 죽은 소녀에게 하신 말씀을 들려주고 따라 해 보게 한다. "네 믿음이 너를 구원했다." "소녀야, 일어나라."

❹ 우리가 아플 때도 고쳐 주실 예수님을 믿으며 빈칸의 흐린 글씨를 따라 쓰고, 인도자를 따라 큰 소리로 "치료자 예수님을 믿어요!"라고 외쳐 보게 한다.

인도자 오늘의 성경 이야기에는 아무도 고칠 수 없는 병을 앓는 여인과 죽을병에 걸린 소녀가 나왔어요. 하지만 **예수님은 병든 여인을 고치시고 죽은 소녀를 살리셔서 메시아의 능력을 보여 주셨어요.** 예수님은 우리를 구원하기 위해 하나님이 보내 주신 메시아이셔요. 십자가에서 죽으셨다가 다시 살아나심으로 구원자 예수님의 능력이 모든 사람에게 알려졌어요. 예수님을 믿을 때 하나님은 우리의 죄를 용서하시고 하나님과 함께 영원히 살게 해 주세요.

누가 만졌나요? *

준비물 ▶ 눈가리개

❶ 아이들을 서로 마주 보고 둥글게 앉힌다.

❷ 술래를 한 명 뽑아 원 한가운데 앉히고 눈가리개를 채운다.

❸ 아이들 중 한 사람을 조용히 지목해 살금살금 다가가 술래의 어깨를 톡 치고 다시 살금살금 제자리로 돌아오라고 한다.

❹ 술래가 눈가리개를 벗으면 다 같이 큰 소리로 "누가 만졌나요?"라고 외친다. 술래가 답을 맞힐 기회를 3회 준다.

❺ 자원하는 아이가 술래가 되어 활동을 반복한다.

인도자 예수님은 "누가 내 옷을 만졌느냐?"라고 물으셨어요. 여인은 앞으로 나와 예수님 앞에 엎드렸어요. 예수님은 여인의 믿음이 여인을 고쳤다고 말씀하셨어요. 여인은 예수님께 자기의 병을 고칠 능력이 있다는 사실을 믿었어요. **예수님은 병든 여인을 고치시고 죽은 소녀를 살리셔서 메시아의 능력을 보여 주셨어요.** 예수님을 믿을 때 하나님은 우리의 죄를 용서하시고 하나님과 함께 영원히 살게 해 주세요.

예수님 옷을 몰래 만져요 *

준비물 ▶ 예수님 분장 시 필요한 소품(큰 천이나 성가대 가운), 하트 스티커

❶ 인도자가 '예수님' 분장을 하고 들어온다.
❷ 교사 한 명이 아이들에게 하트 스티커를 하나씩 나누어 주고, 걸어가고 계시는 '예수님' 옷에 몰래 붙이라고 한다.
❸ 하트 스티커를 붙이다가 들킨 아이에게는 다시 한 번 도전할 수 있도록 하트 스티커를 나누어 준다.
❹ 모든 아이가 '예수님' 옷에 하트 스티커를 붙일 때까지 활동을 계속한다.

인도자 **예수님은 병든 여인을 고치시고 죽은 소녀를 살리셔서 메시아의 능력을 보여 주셨어요.** 여인은 예수님이 자신의 병을 고쳐 주실 수 있다고 믿었어요. 손을 뻗어 예수님의 옷을 만졌을 때 여인은 자기 병이 나았다는 것을 깨달았어요! 예수님은 하나님의 아들이시기 때문에 능력이 있으세요. 예수님은 사람들을 죄와 죽음에서 구원하려고 십자가에서 죽으시고 다시 살아나셨어요.

함께 기도해요 *

❶ 교회 성도들 중 환자들이 있는지 미리 알아보고, 아이들에게 그분들의 이름과 병명, 현재 상황을 간략하게 이야기해 준다.
❷ 아이들과 함께 아픈 성도들을 어떻게 도울 수 있을지 이야기를 나누어 본다.
❸ 기도로 그들을 돕자고 말하고, 다 함께 기도한다.

인도자 **예수님은 사람들의 어떤 문제를 해결해 주시나요? 예수님은 사람들의 병을 고치시고, 죄를 용서하시고, 죽음에서 건지세요. 예수님은 병든 여인을 고치시고 죽은 소녀를 살리셔서 메시아의 능력을 보여 주셨어요.** 예수님은 죽으셨다가 다시 살아나신 후 하늘로 올라가셨어요. 예수님이 다시 오시기를 기다리는 동안 우리는 병든 사람들을 고쳐 달라고 하나님께 기도할 수 있어요. 우리는 예수님이 다시 오셔서 병과 죄와 죽음을 영원히 사라지게 하시기를 간절히 바라고 있답니다.

소곤소곤 꿀~꺽 간식

준비물 ▶ 쇠고기 죽, 그릇, 숟가락

❶ 카운트다운 영상, 정리하기 노래 등을 활용해 활동이 끝났음을 알린다. 아이들에게 주변을 정리하게 하고, 화장실에 가거나 물티슈 등을 이용해 손을 씻을 시간을 준다.

❷ 감사 기도를 드리고 쇠고기 죽을 간식으로 나누어 준다. 아플 때는 주로 소화가 잘되는 죽을 먹는다고 말해 주고, 오늘의 성경 이야기에 등장한 아픈 사람들을 생각해 보게 한다. 예수님은 병든 여인을 고치시고 죽은 소녀를 살리셔서 메시아의 능력을 보여 주셨다고 말해 준다. 우리도 예수님을 믿을 때 하나님이 우리의 죄를 용서하시고 하나님과 함께 영원히 살게 해 주신다고 말한다.

❸ 간식을 먹은 후 마무리 정리를 잘하도록 지도한다.

오순도순 마무리

준비물 ▶ 유치부 교재 43쪽 메시지 카드, 소그룹 활동지, 파일

❶ 이번 주 메시지 카드로 부모님과 함께 오늘 배운 성경 이야기를 나누어 보라고 한다.

가족과 활동해요

• 옷장에서 깨끗하지만 입지 않는 옷을 찾아 도움이 필요한 가족이나 지역의 옷 나눔 센터에 기부해 보세요.

❷ 나만의 기록장에 기록할 내용을 소개하고, 소그룹 활동지를 떼어 파일에 끼운 뒤 가방에 정리하게 한다.

❸ 아이들을 위해 기도한다.

인도자 하나님, 예수님은 사람들의 병을 고치시고 죽은 사람을 살리시는 능력을 보여 주셨어요. 우리가 예수님의 큰 능력을 알게 해 주셔서 감사해요. 예수님께는 우리를 죄와 죽음에서 구원하실 수 있어요. 예수님은 십자가에서 죽으시고 다시 살아나셨어요! 우리가 능력 있는 예수님을 믿고 의지하며 살아갈 수 있도록 도와주세요. 예수님의 이름으로 기도합니다. 아멘.

❹ 아이를 데리러 온 부모에게 아이가 특별히 즐거워했거나 잘했던 활동들에 대해 이야기해 주고, 가정에서 성경 읽기와 가족 활동을 진행할 수 있도록 격려한다.

나만의 기록장

치료자 예수님이 필요한 사람 그리기

13

예수님이 나사로를 살리셨어요

(요 11:1~7, 17~44)

주제 예수님은 죽음을 이기는 능력을 보여 주셨어요.

예수님 생각하기 예수님은 나사로를 죽은 자 가운데서 살리셨어요. 자신에게 죽음을 이기는 능력이 있다는 것을 보여 주신 거예요. 예수님은 십자가에서 죽으시고, 죽은 자 가운데서 다시 살아나셨어요. 예수님을 믿고 의지하는 사람들은 예수님과 함께 영원히 살게 되어요.

단원 암송 시 103:2~3

성경의 초점 예수님은 사람들의 어떤 문제를 해결해 주시나요?
예수님은 사람들의 병을 고치시고, 죄를 용서하시고, 죽음에서 건지세요.

본문 속으로

예수님은 친구 나사로가 아프다는 소식을 들으셨습니다. 나사로는 동생 마리아, 마르다와 예루살렘에서 약 3km 정도 떨어진 베다니라는 동네에 살고 있었습니다. 마리아와 마르다는 예수님께 나사로가 아프다는 소식을 전했습니다. 아마도 예수님이 즉시 오실 것이라고 기대했을 것입니다.

예수님은 마리아와 마르다, 그리고 나사로를 사랑하셨습니다. 하지만 예수님은 계신 곳에서 며칠 더 머무셨고, 그사이 나사로는 죽고 말았습니다. 왜 그러셨을까요? 예수님은 나사로의 병이 "하나님의 영광을 위함이요 하나님의 아들이 이로 말미암아 영광을 받게 하려 함이라"(요 11:4)라고 말씀하셨습니다. 또 이 일로 제자들이 예수님을 믿게 될 것이기에 나사로가 죽을 때 그곳에 있지 않은 것을 기뻐한다고도 하셨습니다(요 11:15 참조). 예수님의 때는 언제나 완벽합니다. 예수님이 행동하실 때도, 행동하지 않으실 때도 모두 하나님을 영화롭게 하시기 위함입니다.

예수님이 베다니에 도착하셨을 때 나사로는 이미 나흘이나 무덤에 있는 상태였습니다. 예수님을 마중 나온 마르다가 "주께서 여기 계셨더라면 내 오라버니가 죽지 아니하였겠나이다"라고 말했습니다. 예수님이 전에 병든 자를 고치는 능력을 보이셨기 때문입니다. 하지만 마르다는 절망적인 상황에서도 예수님이 기적을 행하실 수 있을 것이라는 믿음을 버리지 않았습니다.

예수님은 마르다에게 "나는 부활이요 생명이니"(요 11:25)라고 말씀하셨습니다. 예수님은 생명의 근원이십니다. 그분은 죽음도 파괴할 수 없는 영원한 생명을 주십니다. 성도들은 죽음을 두려워할 필요가 없습니다. 육체의 죽음이 끝이 아니기 때문입니다(요 11:25~26 참조). 예수님은 우리가 죽어서 몸을 떠날 때 우리의 영혼이 주님과 함께 있게 하시려고 죽음을 감내하셨습니다(고후 5:8 참조).

예수님은 나사로를 죽은 자 가운데서 살리셨습니다. 예수님이 메시아라는 사실이 명확히 드러난 순간이었습니다. 예수님은 하나님의 아들이라는 주장 때문에 십자가에서 죽음을 맞으셨습니다. 나사로의 장례를 중단시키신 그 순간에도 예수님은 곧 뒤따를 자신의 장례를 알고 계셨습니다.

●● 티칭 포인트

예수님은 나사로를 살리심으로 죽음을 이기는 능력이 있다는 것을 보여 주셨다는 점을 아이들에게 강조하십시오. 예수님은 우리 죄 때문에 십자가에서 죽으시고, 죽은 자 가운데서 다시 살아나셨습니다. 예수님은 예수님을 믿는 자에게 영원한 생명을 주십니다.

이야기 성경

예수님이 나사로를 살리셨어요

요 11:1~7, 17~44

나사로는 유대의 베다니라는 동네에 살고 있었어요. 나사로는 예수님의 친구였어요. 어느 날 나사로가 병이 들었어요. 그의 동생 마리아와 마르다는 예수님께 이 소식을 알렸어요. "주님, 주님이 사랑하시는 친구 나사로가 아픕니다." 소식을 들으신 예수님은 제자들에게 말씀하셨어요. "나사로의 병은 죽을병이 아니다. 이 병으로 하나님과 하나님의 아들이 얼마나 위대한지 너희가 알게 될 것이다."

그런데 예수님은 곧장 나사로에게 가시지 않고, 이틀을 더 머무시고 나서야 "유대로 돌아가자. 이제 나사로가 잠들었다. 하지만 내가 가서 깨울 것이다"라고 말씀하셨어요. 예수님이 베다니에 도착하신 때는 나사로가 무덤에 장사된 지 나흘이나 지난 뒤였어요.

마르다는 서둘러 나와 예수님을 맞았어요. 마르다는 "주님이 여기 계셨더라면 오빠가 죽지 않았을 거예요"라고 말했어요. 그러면서도 마르다는 예수님이 기적을 행하실 수 있다는 것을 믿었어요. 그래서 "주님이 구하시는 것은 하나님이 다 이루어 주실 줄 저는 알고 있어요"라고 말했어요. 예수님은 "네 오빠가 다시 살아날 것이다"라고 말씀하셨어요.

마르다는 예수님을 믿었어요. 마지막 날이 되면 나사로도 죽은 자 가운데서 다시 살아날 것이라고 생각했지요. 하지만 예수님은 "나는 부활이요, 생명이다"라고 말씀하셨어요. 그리고 예수님을 믿는 사람은 몸이 죽어도 하나님이 죽은 자 가운데서 다시 살리실 것이라고 말씀하셨어요. 그러고는 "네가 이것을 믿느냐?"라고 물으셨지요. 마르다는 "네, 주님이 그리스도시며 세상에 오신 하나님의 아들이신 것을 믿어요"라고 대답했어요.

마르다는 집으로 돌아가 마리아를 데려왔어요. 마리아는 예수님의 발 앞에 엎드려 "주님이 여기 계셨다면 오빠가 죽지 않았을 거예요"라며 울었어요. 마리아가 우는 것을 보시고 예수님도 함께 우셨어요.

마리아는 나사로의 무덤으로 예수님을 모시고 갔어요. 무덤 입구는 큰 돌로 막혀 있었어요. 예수님은 돌을 치우라고 말씀하셨어요. 예수님은 하늘을 바라보시며 "아버지, 제 말을 들어주신 것을 감사합니다"라고 말씀하셨어요. 그런 다음 큰 소리로 "나사로야, 나오라!" 하고 외치셨어요. 그 순간, 나사로가 무덤 밖으로 나왔어요. 손과 발은 천으로 감겨 있었지요. 예수님은 "천을 풀어 주어 다닐 수 있게 하라"라고 말씀하셨어요.

● ● 예수님 생각하기

예수님은 나사로를 죽은 자 가운데서 살리셨어요. 자신에게 죽음을 이기는 능력이 있다는 것을 보여 주신 거예요. 예수님은 십자가에서 죽으시고, 죽은 자 가운데서 다시 살아나셨어요. 예수님을 믿고 의지하는 사람들은 예수님과 함께 영원히 살게 되어요.

가스펠 준비

싱글벙글 환영해요

"나사로야 나오라"(지도자용 팩)를 튼다. 아이들을 반갑게 맞이하며 헌금과 기도를 도와준다. 예배 중 헌금 순서가 있다면 아이들이 헌금을 잘 간수하도록 돕는다. 가방과 외투를 정리하도록 안내한다. 새로 온 아이가 있다면 음수대와 화장실의 위치를 알려 주고, 보호자와 만나는 시간과 방법 등을 소개한다. 보호자들을 위한 안내문을 붙여 아이와 만나는 시간, 기다리는 장소, 헌금 방법, 아이에 대한 특별한 주의 사항을 교사에게 미리 알려 주기 등을 공지한다.

너랑 나랑 마음 열기

주제와 관련 있는 퍼즐이나 블록 등 아이들이 좋아하는 장난감을 몇 가지 비치해 두고 다양한 활동을 하며 예배를 준비하도록 돕는다. 아이들이 마음을 열고 오늘의 주제에 관심을 갖게 하며 예배에 집중할 수 있도록 도와준다. 교회 형편에 맞게 시간과 활동 방법을 조절한다.

천천히 또는 빨리 움직여요 *

❶ 아이들을 예배실 한쪽 벽 앞에 옆으로 길게 한 줄로 세운다.

❷ 인도자가 어떤 상황을 이야기하면 빨리 움직이고 싶은 상황인지, 천천히 움직이고 싶은 상황인지 생각해 그에 해당하는 속도로 반대쪽으로 이동하면 된다고 말해 준다.

예) "잠자러 갈 시간이에요." / "할아버지 댁에 가고 있어요." / "양치질을 할 시간이에요." / "생일 파티에 가고 있어요." / "저녁밥에 완두콩이 들어 있어요." / "병원에 가고 있어요." / "엄마가 장난감을 정리하라고 말씀하셨어요." / "아빠가 놀러 가자고 말씀하셨어요." 등.

인도자 예수님은 친구 나사로가 병들었다는 소식을 들으시고도 즉시 나사로를 만나러 가지 않으셨어요. 오히려 계시던 곳에서 이틀이나 더 머무셨지요. 예수님이 왜 천천히 나사로를 만나러 가셨는지 오늘의 성경 이야기를 잘 들어 보세요.

알람 시계를 관찰해요 *

준비물 ▶ 알람 시계(알람 기능이 있는 휴대 전화)

❶ 아이들에게 모두 제자리에 누워 자는 척하라고 한다.

❷ 시계에서 알람이 울리면 벌떡 일어나야 한다고 말해 준다.

❸ 아이들이 1~3분 정도 누워 있을 수 있도록 알람 시간을 조정한다.

tip 연령대가 높은 경우 5초 뒤, 10초 뒤, 30초 뒤로 알람 시간을 조정해도 좋다.

인도자 우리는 제때 잘 일어나기 위해 알람 시계를 사용해요. 오늘의 성경 이야기에서는 예수님의 친구 나사로가 병들었어요. 예수님은 제자들에게 "이제 나사로가 잠들었다. 하지만 내가 가서 깨울 것이다"라고 말씀하셨어요. 제자들은 나사로가 아파서 쉬고 있는 것이라고 생각했어요. 하지만 예수님은 나사로가 죽었다고 하셨어요. 과연 예수님은 죽은 나사로를 어떻게 깨우실까요? 이야기를 잘 들어 보아요!

예배 대형으로 모이기

- 카운트다운 영상, 모이기 노래 등을 활용해 예배 대형으로 바꾸고 마음을 준비하게 한다.
- 공간을 이동해야 한다면 느린 걸음으로 걸으며 가도록 한다.

가스펠 설교

하나 — 들어가기

남자 형제가 있는 사람은 머리를 쓰다듬어 보세요. 여자 형제가 있는 사람은 코를 만져 보세요. 오늘의 성경 이야기에서는 예수님의 친구 나사로가 병이 들었어요. 나사로의 여동생 마르다와 마리아는 예수님께 와 달라고 말씀드렸어요.

둘 — 성경 이야기

요한복음 11장을 편다. 설교 영상(지도자용 팩)을 보여 주거나 이야기 성경을 들려준다.

성경에는 하나님의 말씀이 들어 있어요. 하나님의 말씀은 언제나 사실이에요. 성경은 세상에서 가장 중요한 책이에요. 오늘의 성경 이야기는 '요한복음'에 나온답니다.

셋 — 메시지와 정리

마르다와 마리아는 슬펐어요. 예수님이 제때 오시지 못했다고 생각했지요. 하지만 그것은 틀린 생각이었어요. 예수님은 나사로를 죽은 자 가운데서 살리셨어요. **예수님은 죽음을 이기는 능력을 보여 주셨어요.** 예수님이 십자가에서 죽으시고 무덤에 계실 때 하나님은 예수님을 죽은 자 가운데서 다시 살리심으로 하나님의 능력을 보여 주셨어요. 예수님을 믿고 의지하는 사람들은 예수님과 함께 영원히 살게 되어요.

연대표(지도자용 팩)를 가리키면서 복습 질문을 한다.

1. 마르다와 마리아는 오빠 나사로가 아프다는 소식을 누구에게 전했나요? 예수님
2. 예수님은 소식을 듣고 바로 나사로를 만나러 가셨나요? 아니다, 이틀이나 더 머무셨다
3. 예수님이 나사로의 동네에 도착하셨을 때 나사로는 아직 살아 있었나요? 아니다, 무덤에 장사된 지 나흘이나 지난 뒤였다
4. 마르다와 마리아는 예수님이 계셨다면 어떻게 되었을 것이라고 말했나요? 나사로가 죽지 않았을 것이라고 말했다
5. 예수님이 "나사로야, 나오라!" 하고 외치시자 어떤 일이 일어났나요? 나사로가 살아서 무덤 밖으로 나왔다

넷 — 성경의 초점

3단원의 '성경의 초점'이 무엇인가요? **"예수님은 사람들의 어떤 문제를 해결해 주시나요?"**, **"예수님은 사람들의 병을 고치시고, 죄를 용서하시고, 죽음에서 건지세요"**이지요? 다들 잘 알고 있네요! **예수님은** 죽은 나사로를 살리셔서 **죽음을 이기는 능력을 보여 주셨어요**. 예수님이 다시 오시는 날, 그분은 병과 죄와 죽음을 영원히 없애실 거예요!

다섯 — 복음 초청

성경과 48쪽 복음 초청 가이드를 이용해서 아이들에게 그리스도인이 되는 법을 설명해 준다. 따로 상담해 줄 사람을 정해 주고 궁금한 점이 있으면 물어보도록 격려한다.

이 시간 예수님을 믿고 마음에 모시고 싶은 친구는 함께 기도해요.

여섯 — 기도

사랑의 하나님, 죽은 나사로를 살리신 예수님이 우리를 죄에서 구원하신 메시아이심을 믿어요. 십자가에서 죽음을 이기신 능력의 예수님을 믿어요. 하나님, 우리를 구원해 주시고, 하나님 나라에서 영원히 살 수 있게 해 주셔서 감사해요. 이 기쁜 소식을 친구들에게 전하며 살고 싶어요. 도와주세요. 예수님의 이름으로 기도합니다. 아멘.

일곱 — 암송송

성경에서 시편 103편 2~3절을 펴고 큰 소리로 여러 번 따라 읽게 한다.

우리도 3단원 암송 구절처럼 하나님을 찬양할 수 있어요. 예수님을 믿고 의지할 때 예수님이 우리의 병을 고치시고, 우리의 죄를 모두 용서하시기 때문이에요.

암송송(164쪽)에 맞추어 손유희를 하며 말씀을 익힌다.

"내 영혼아 여호와를 송축하며 그의 모든 은택을 잊지 말지어다 그가 네 모든 죄악을 사하시며 네 모든 병을 고치시며"(시 103:2~3).

알콩달콩 말씀 놀이

능력의 예수님을 믿어요

준비물 ▶ 유치부 교재 29쪽, 연필

이야기 나누기

- 예수님은 왜 곧장 나사로를 만나러 가지 않고 기다리셨을까요?
- 예수님은 나사로를 살릴 능력이 있으시면서도 왜 마리아와 함께 우셨을까요?
- 오늘의 성경 이야기를 듣고 예수님의 어떤 능력을 알게 되었나요?

❶ 7~13과 이야기 성경 그림을 보며 예수님이 하신 일들을 기억해 보는 시간을 갖는다.

❷ 예수님이 어떤 능력을 보여 주셨는지 이야기를 나누어 본다.

❸ 빈칸에 예수님과 함께한 내 모습을 그리고, 아래 문장의 흐린 글씨를 따라 써 보라고 한다. 인도자와 함께 능력의 예수님을 찬양해요!"라고 큰 소리로 외쳐 본다.

인도자 예수님은 사람들을 사랑하세요. 예수님은 아픈 사람들의 병을 고쳐 주시고, 악을 이기시고, 죽음까지도 이기셨어요. **예수님은** 죽은 나사로를 살리셔서 **죽음을 이기는 능력을 보여 주셨어요.** 예수님은 십자가에서 죽으시고, 죽은 자 가운데서 다시 살아나셨어요. 예수님을 믿고 의지하는 사람들은 예수님과 함께 영원히 살게 되어요.

예수님의 능력을 노래해요 *

준비물 ▶ 전지, 매직펜

❶ 전지에 매직펜으로 "예수님이 말씀하시니" 찬양 가사를 적어 예배실 앞쪽에 붙여 둔다.

가사) "예수님이 말씀하시니 *죽은 나사로가 살아났다네* / 예수님이 말씀하시니 *죽은 나사로가 살아났다네* / 예수님 예수님 나에게도 말씀하셔서 / 새롭게 새롭게 변화시켜 주소서."

❷ * 부분을 "물이 변하여 포도주 됐네", "거친 파도가 잔잔해졌네", "중풍 병자가 일어났다네"로 바꾸어서 여러 번 불러 본다.

tip 찬양과 함께 율동을 하면 더욱 좋다.

❸ 아이들과 함께 "예수님이 말씀하시니" 찬양을 즐겁고 신 나게 부른다.

인도자 예수님은 죽은 나사로를 살리셨어요. 그로써 **예수님은 죽음을 이기는 능력을 보여**

주셨어요. 얼마 후 예수님은 십자가에서 죽으시고, 죽은 자 가운데서 다시 살아나셨어요. 하나님은 예수님을 믿고 의지하는 사람들이 예수님과 함께 영원히 살게 하시려고 예수님을 죽은 자 가운데서 살리셨어요. 예수님은 우리를 죄와 죽음에서 구원하세요! 우리 모두 하나님을 찬양해요!

"○○○야(아), 나오라!" 놀이를 해요 *

준비물 ▶ 높고 긴 책상, 담요(이불)

❶ 높고 긴 책상을 담요로 덮어 '무덤'을 만든다.

❷ 아이들 중에 술래를 한 명 정한다. 술래가 벽을 보고 서 있는 동안 인도자가 조용히 한 아이를 지명해 '무덤'에 들어가라고 한다.

❸ 술래에게 뒤돌아서서 아이들 중에 '무덤'에 들어가 보이지 않는 친구가 있는지 찾을 수 있도록 잠시 생각할 시간을 준다. '무덤'을 향해 "○○○야(아), 나오라!" 하고 외치되, 맞힐 수 있는 기회를 3회 준다. 이름이 맞을 경우 술래는 무덤 밖으로 나오면 된다고 말해 준다. 만약 맞히지 못하면 인도자가 "○○○야(아), 나오라!" 하고 외치며 활동을 마무리한다.

❹ 자원하는 아이를 술래로 정해 한 번 더 활동한다.

인도자 예수님은 나사로에게 무덤에서 나오라고 외치셨어요. **예수님은** 죽은 나사로를 살리셔서 **죽음을 이기는 능력을 보여 주셨어요**. 예수님은 우리를 죄에서 구원해 주시기 위해 십자가에서 죽으시고, 죽은 자 가운데서 다시 살아나셨어요. 예수님을 믿고 의지하는 사람들은 예수님과 함께 영원히 살게 되어요.

퍼즐을 맞춰요 *

준비물 ▶ 사람이 그려진 퍼즐

❶ 사람이 그려진 퍼즐을 아이들에게 나누어 주고 맞춰 보는 시간을 갖는다.

tip 퍼즐을 구하기 어렵다면 색 도화지에 잡지에서 오린 사람들 사진이나 이미지를 풀로 붙인 후 여러 조각으로 잘라 퍼즐을 만들어 사용해도 좋다.

인도자 예수님은 사람들을 사랑하세요. 예수님을 믿는 사람들은 비록 몸은 죽어도 하나님이 죽은 자 가운데서 다시 살리실 것이라고 예수님이 말씀하셨어요. **예수님은** 죽은 나사로를 살리셔서 **죽음을 이기는 능력을 보여 주셨어요**. 예수님을 믿고 의지하며, 하나님이 예수님을 죽은 자 가운데서 다시 살리셨다는 것을 믿는 사람들은 예수님과 함께 영원히 살게 되어요.

친구의 눈물을 닦아 주어요 *

준비물 ▶ 휴지, 베이비 로션

❶ 아이들에게 휴지를 나누어 주고 길게 찢어 두 눈 밑에 붙여 '눈물'을 표현해 보게 한다. 휴지를 붙일 때는 소량의 베이비 로션을 사용하도록 지도한다.

❷ 아이들을 둘씩 짝을 지은 후 친구의 '눈물'을 "울지 마, 예수님이 생명을 주실 거야"라고 말하며 서로 떼어 주라고 한다.

인도자 우리는 더 이상 죽음을 두려워할 필요가 없어요. 예수님께 죽음을 이기는 능력이 있기 때문이에요. **예수님은** 죽은 나사로를 살리셔서 **죽음을 이기는 능력을 보여 주셨어요**. 예수님이 다시 오시는 날, 우리는 더 이상 슬퍼하지 않아도 되어요. 예수님이 죽음을 완전히 없애 주실 것이기 때문이지요. 예수님은 예수님을 믿고 의지하는 사람들이 예수님과 함께 영원히 살게 해 주시려고 십자가에서 죽으시고 다시 살아나셨어요.

나사로를 풀어 주어요 *

준비물 ▶ 압박 붕대(두루마리 휴지)

❶ 아이들 중에 '나사로'가 되기로 자원하는 아이를 앞으로 나오게 한 후 바닥에 눕힌다.

❷ 나머지 아이들에게 압박 붕대로 '나사로'를 감싸 주라고 한다. 예수님 시대에는 사람이 죽으면 흰 천으로 온몸을 감싸 주었다고 말하면서 '나사로'에게 마치 죽은 것처럼 꼼짝도 하지 말아야 한다고 이야기해 준다.

❸ '나사로'의 몸을 다 감싸고 나면 아이들과 함께 "다닐 수 있도록 풀어 주어라!"라고 외친다.

❹ 그때 '나사로'가 붕대를 풀면서 일어나 걸어 다니면, 나머지 아이들이 붕대를 푸는 것을 도와주면 된다고 말해 준다.

인도자 죽음은 예수님께 상대가 안 돼요! 예수님은 나사로를 만나러 가시기 전에 이틀을 기다리셨어요. 나사로를 다시 살릴 계획을 갖고 계셨거든요. **예수님은** 죽은 나사로를 살리셔서 **죽음을 이기는 능력을 보여 주셨어요**. 예수님은 우리의 죄 때문에 십자가에서 죽으시고, 죽은 자 가운데서 다시 살아나셨어요. 예수님을 믿고 의지하는 사람들은 예수님과 함께 영원히 살게 되어요.

소곤소곤 꿀~꺽 간식

준비물 ▶ 스트링 치즈

❶ 카운트다운 영상, 정리하기 노래 등을 활용해 활동이 끝났음을 알린다. 아이들에게 주변을 정리하게 하고, 화장실에 가거나 물티슈 등을 이용해 손을 씻을 시간을 준다.

❷ 감사 기도를 드리고 스트링 치즈를 간식으로 나누어 준다. 세로결로 찢어진 얇은 치즈 조각이 마치 나사로가 싸여 있던 하얀 천 같다고 말해 준다. 예수님은 "나사로야, 나오라"라고 명령하심으로 죽은 나사로를 살리셔서 죽음을 이기는 능력을 보여 주셨다고 한 번 더 이야기해 준다. 예수님은 우리의 죄 때문에 십자가에서 죽으시고, 죽은 자 가운데서 다시 살아나셨으며, 예수님을 믿고 의지하는 사람들은 예수님과 함께 영원히 살게 된다고 이야기해 준다.

❸ 간식을 먹은 후 마무리 정리를 잘하도록 지도한다.

오순도순 마무리

준비물 ▶ 유치부 교재 43쪽 메시지 카드, 소그룹 활동지, 파일

❶ 이번 주 메시지 카드로 부모님과 함께 오늘 배운 성경 이야기를 나누어 보라고 한다.

가족과 활동해요

- 최근에 사랑하는 가족을 잃은 사람에게 음식을 대접해 주세요.
- 왕이 묻혀 있는 왕릉을 방문해 관람하세요. 아이들에게 오늘의 성경 이야기를 들려주고, 예수님은 우리를 죽음에서 건지시는 분이라고 말해 주세요.

❷ 나만의 기록장에 기록할 내용을 소개하고, 소그룹 활동지를 떼어 파일에 끼운 뒤 가방에 정리하게 한다.

❸ 아이들을 위해 기도한다.

인도자 사랑의 하나님, 죽음을 이기는 능력을 가지신 예수님을 보내 주셔서 감사해요. 능력의 예수님은 우리의 죄를 없애 주려고 십자가에서 죽으시고, 죽은 자 가운데서 다시 살아나셨어요. 우리가 그 사실을 믿고 구원받아 예수님과 함께 영원히 살 수 있게 되어 기뻐요. 이 기쁜 소식을 친구들에게도 전하며 살고 싶어요. 예수님의 이름으로 기도합니다. 아멘.

❹ 아이를 데리러 온 부모에게 아이가 특별히 즐거워했거나 잘했던 활동들에 대해 이야기해 주고, 가정에서 성경 읽기와 가족 활동을 진행할 수 있도록 격려한다.

나만의 기록장

영원한 생명을 주시는 예수님 그리기

마가복음 6:34

원곡 : 스와니강(미국 민요)

작곡 : 스티븐 포스터
편곡 : 김효정

예수께서 나오사
(오른손 엄지, 왼손 받침)

큰 무리를 보시고
(오른손을 펴서 이마에 대고 사람들을 살피듯이)

그 목자 없는 양 같음으로 인하여
(두 손 주먹 쥐고 양쪽 머리에 댐)

불쌍히 여기사
(두 손 편 채 위로 향하게 한 후 안아 주듯 두 손 모음)

이에 여러 가지로
(성경을 펴듯이)

가르치시더라
(두 손 편 채 위로 향하게 한 후 좌우로 흔듦)

요한복음 20:31

원곡 : 그 옛날에(영국 민요)

작곡 : 토마스 헤인즈 베일리
편곡 : 김효정

오직 이것을 기록함은 너희로 (성경을 펴듯이)

예수께서 (오른손 엄지, 왼손 받침)

하나님의 아들 (오른손, 왼손 편 채 차례대로 올림)

그리스도이심을 (십자가)

믿게 하려 함이요 (기도 손)

또 너희로 (두 손 편 채 앞으로 뻗음)

믿고 그 이름을 (기도 손)

힘입어 (두 팔 벌리고 두 주먹 불끈)

생명을 얻게 하려 함이니라 (두 손 편 채 두 팔 위로 뻗음)

시편 103:2~3

원곡 : 성자의 행진(미국 민요)

작곡 : 제임스 M. 블랙
편곡 : 김효정

내 영혼아
(두 손 편 채 가슴에 모음)

여호와를 송축하며 그의
(두 손 편 채 두 팔 위로 뻗음)

모든 은택을 잊지 말지어다
(머리 위로 두 손 모아 큰 하트)

그가
(오른손 엄지, 왼손 받침)

네 모든 죄악을
(두 손 편 채 가슴 앞에서 X)

사하시며
(두 팔 아래로 펼침)

네 모든 병을
(두 손바닥으로 두 눈 가림)

고치시며
(두 손바닥 뒤집음)

아이들과 복음 나누기

아이들이 믿음의 첫걸음을 떼도록 인도하는 일은 부모에게 보람된 일입니다. 아이들은 예수님과의 관계 안에서 성장하는 것을 경험하고, 예수님을 아는 지식을 함께 배울 것입니다. 아이들의 영적 회심을 위한 기초를 놓기 위해 부모는 성령님의 도우심을 구해야 합니다. 성령님은 아이가 예수님을 구주로 받아들일 수 있도록 준비시키십니다.

태어나는 순간부터, 예수님의 이름에 긍정적인 인상을 받고 자라나는 아이들은 유치원에 다니는 나이가 되면 성경, 교회, 가족을 통해서, 그리고 스스로 예수님을 접하고 알아 가게 됩니다. 우리의 목표는 아이들이 예수님을 자신들을 사랑하시는 친구로 받아들이는 것입니다.

영아부

아직 어리지만, 예수님이 특별한 아기로 이 땅에 오셨다는 것을 이해할 수 있습니다. 예수님은 어린 소년이셨고, 가족이 있었으며, 하나님께 예배하셨습니다. 예수님은 모든 사람을 사랑으로 도우셨습니다. 예수님은 사람들이 예수님을 사랑하기를 원하십니다.

유아부

영아부를 마치고 유아부에 다니는 나이가 되어 성경 이야기를 들을 수 있게 되면 아이들에게 예수님이 하나님의 아들이시라는 것을 강조하십시오. 하나님은 예수님을 이 땅에 보내셨고, 사람들이 할 수 없는 구원을 이루셨습니다. 예수님은 사람들이 서로 사랑하고 돕기를 원하십니다.

유치부

예수님이 하나님의 독생자이심을 가르쳐 주십시오. 예수님은 기적을 행하시고 병든 자를 치유하셨습니다. 아이들은 예수님처럼 키와 지혜가 자라 가며 하나님과 다른 사람들과의 관계가 더욱 깊어질 수 있습니다. 우리는 예수님의 본과 가르침을 따라야 합니다. 예수님은 십자가에서 죽으셨지만 하나님은 예수님을 다시 살리셨습니다.

아이들은 초등학교를 거쳐 성숙해지면서 예수님을 친구로 아는 지식이 자라 납니다 또 예수님을 구세주로 이해하게 됩니다. 아이들은 여러 해 동안 다양한 경험을 통해서, 또는 한 번의 '큰 사건'을 통해서 그리스도인이 되어 갑니다. 부모는 성령님의 도우심을 통해 여러 과정 속에서 아이들이 친구로서의 예수님을 받아들이는 기초를 마련해 줄 수 있습니다.

라이프웨이(LifeWay) 어린이 편집부

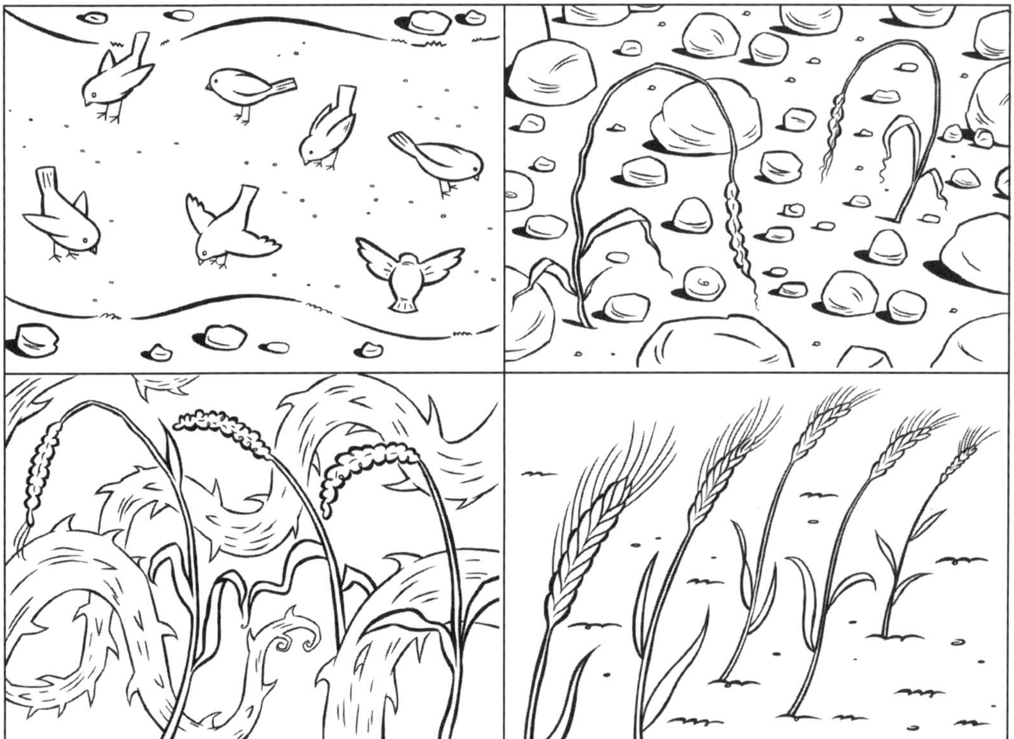

이름 : ____________________

씨 뿌리는 농부

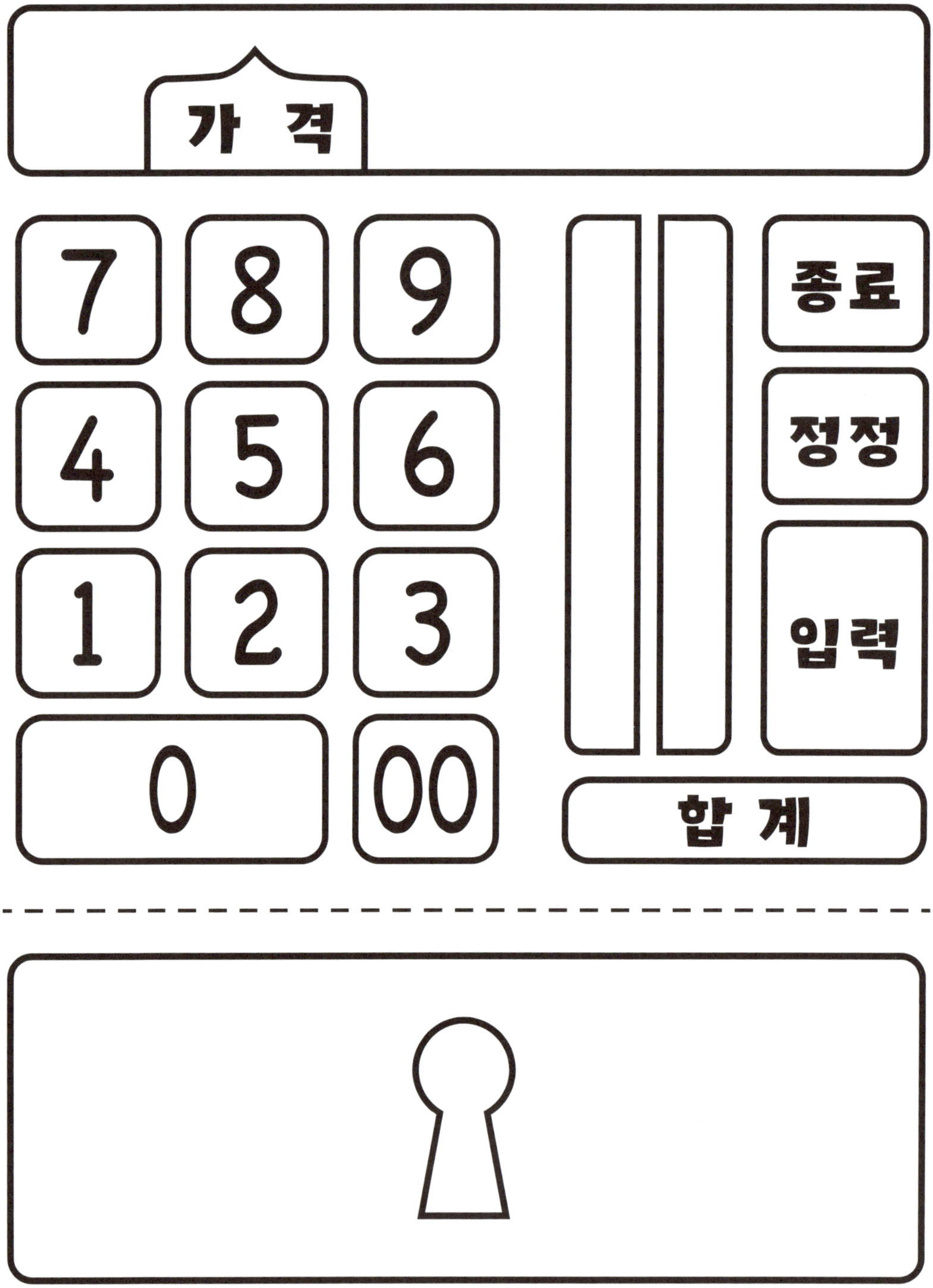
가 격
7
8
9
4
5
6
1
2
3
0
00
종료
정정
입력
합 계

AVGVSTVS
CAESAR

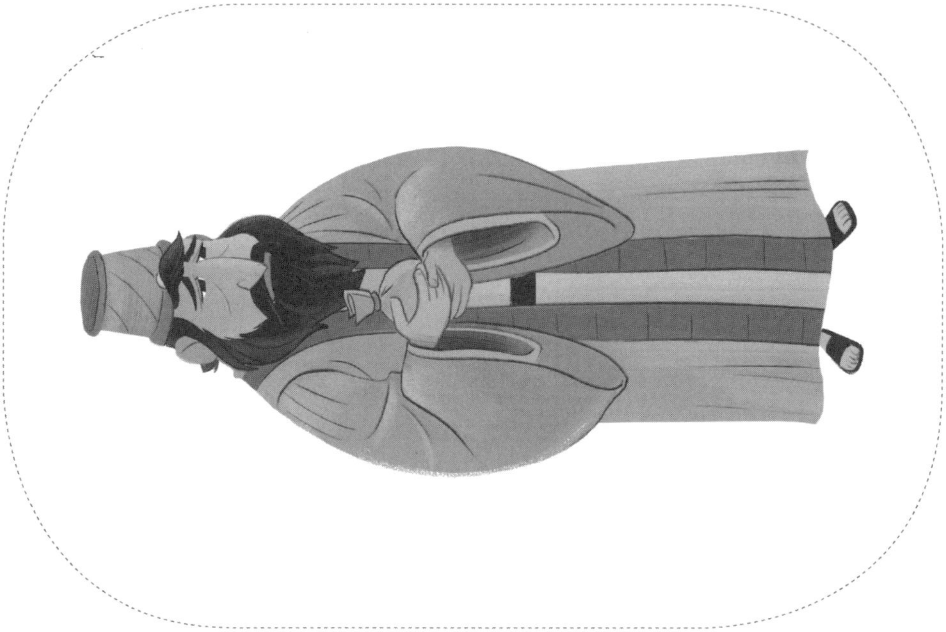

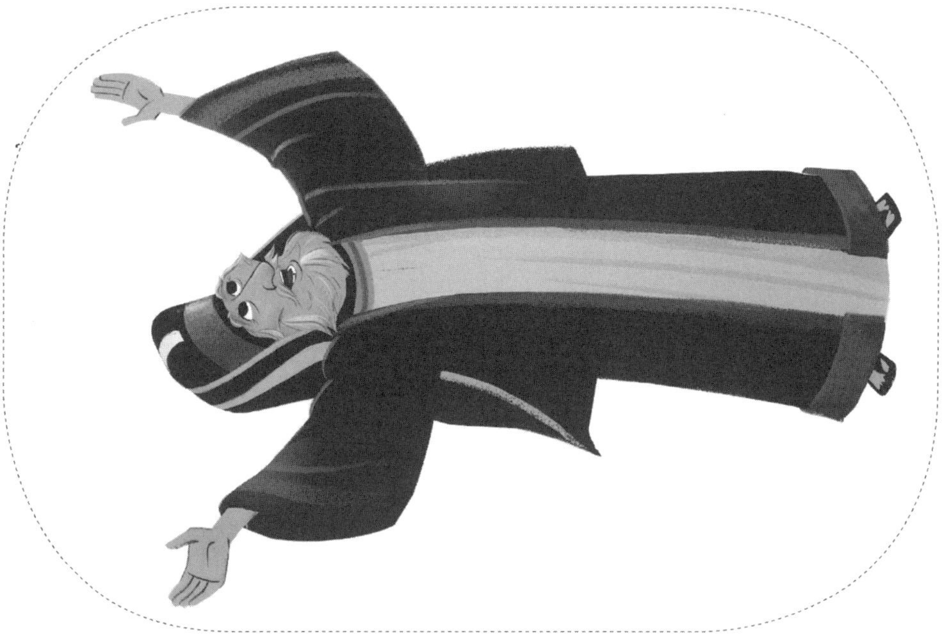

----------- 접는 선

////////////// 풀칠

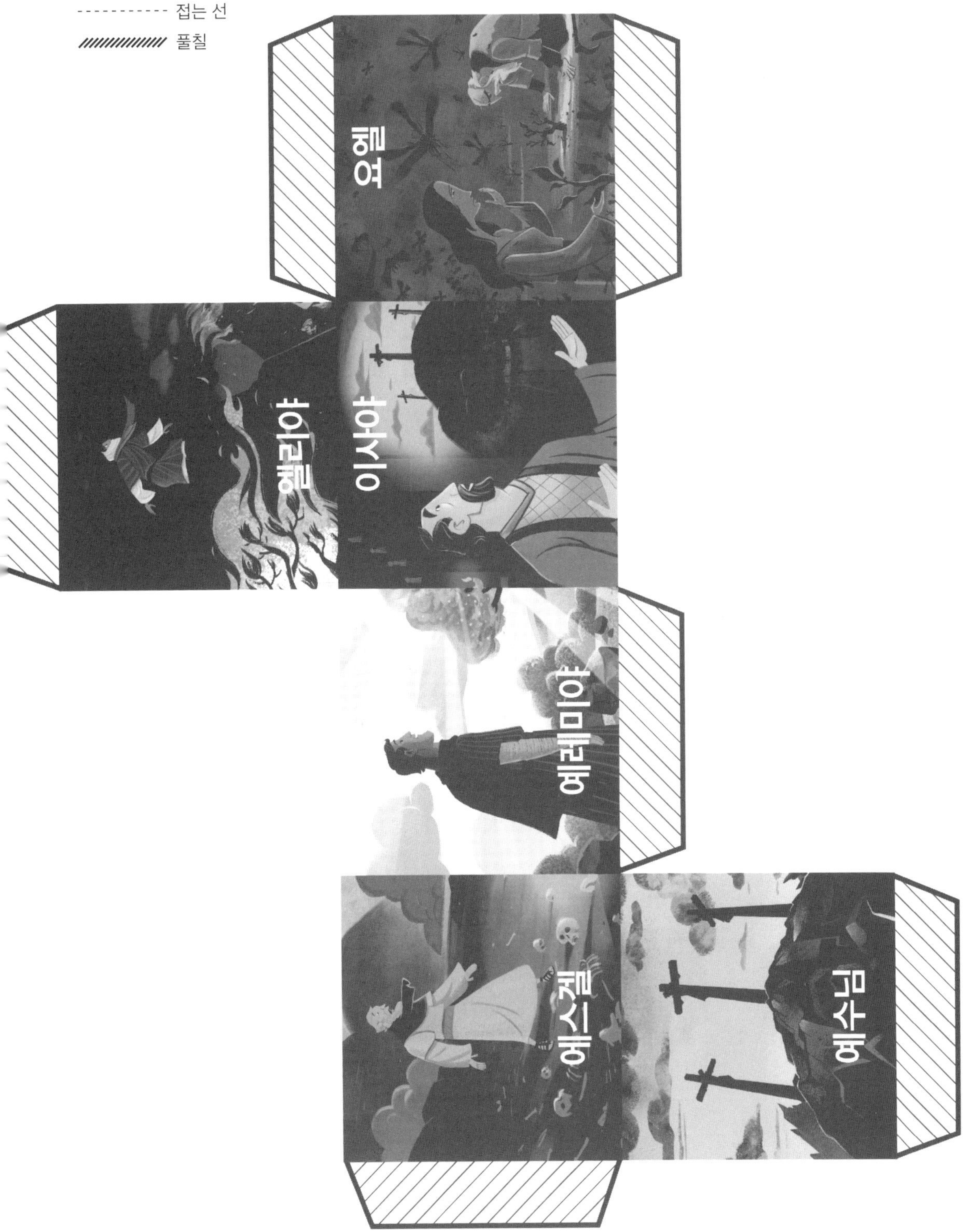

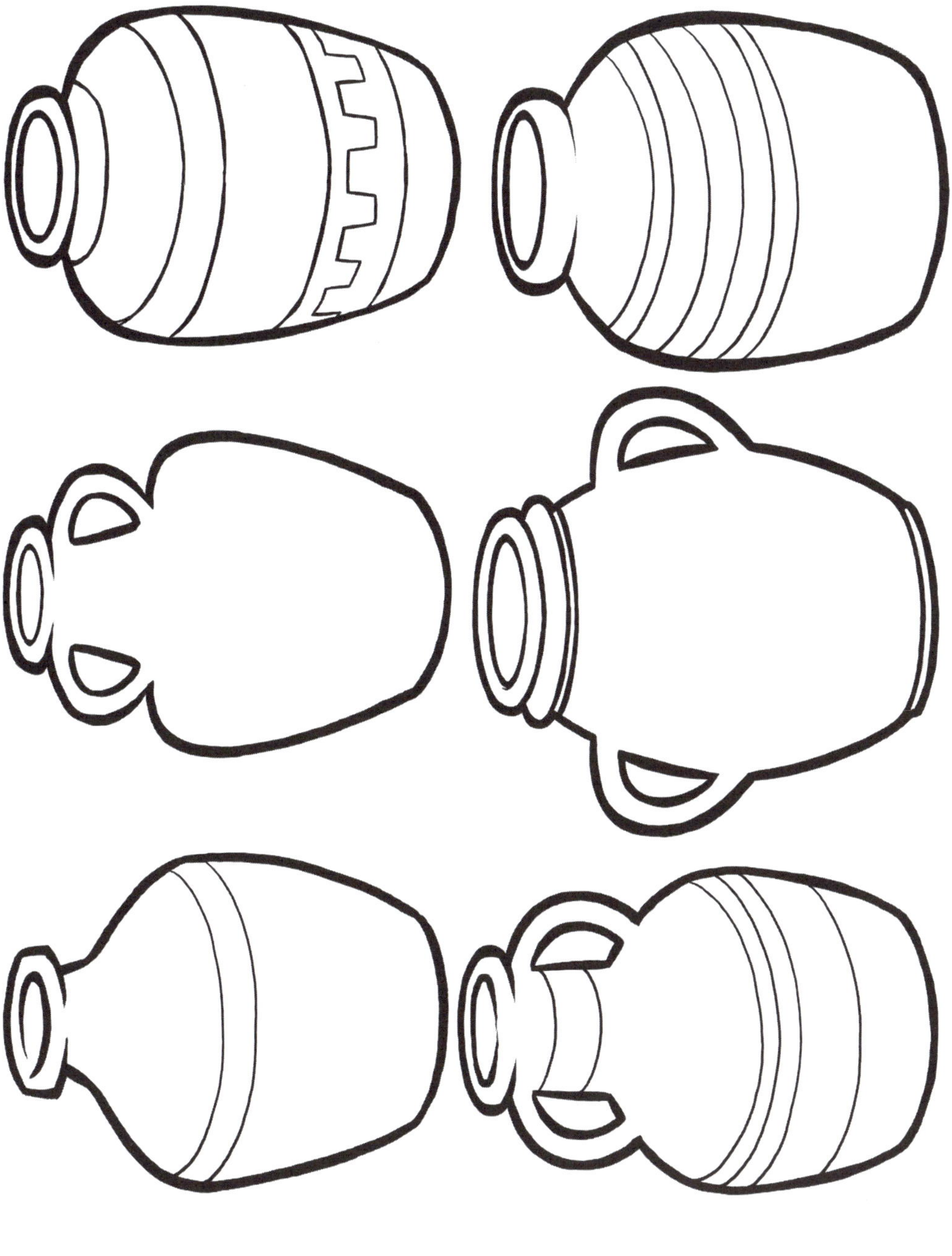

8과 보리떡 5개와 물고기 2마리

가스펠 프로젝트 **신약 커리큘럼**

1권	2권	3권	4권	5권	6권
위대한 복음 복음서	**비유와 기적** 복음서	**십자가와 부활** 복음서, 행	**복음으로 세워진 교회** 행	**하나님의 편지** 서신서	**다시 오실 그리스도** 행, 서신서, 계
1단원 성자 하나님	1단원 비유로 말씀하신 예수님	1단원 기름 부음 받으신 예수님	1단원 능력을 주시는 성령님	1단원 인도하시는 하나님	1단원 하나님의 계획
1. 아브라함부터 예수님까지 2. 마리아가 하나님을 찬양했어요 3. 예수님이 태어나셨어요 4. 예수님이 성전에 계셨어요 5. 예수님이 세례를 받으셨어요 6. 예수님이 시험을 이기셨어요	1. 씨 뿌리는 농부 비유 2. 용서할 줄 모르는 종 비유 3. 선한 사마리아인 비유 4. 3가지 비유 5. 바리새인과 세리 비유 6. 악한 소작인 비유	1. 마리아가 예수님께 향유를 부었어요 2. 예수님이 성전을 깨끗하게 하셨어요 3. 예수님이 제자들과 마지막 만찬을 하셨어요 4. 예수님이 잡혀가셨어요	1. 오순절에 성령이 임했어요 2. 걷지 못하는 사람이 걸었어요 3. 스데반이 고백했어요 4. 빌립이 에디오피아 사람을 만났어요 5. 베드로가 고넬료를 만났어요	1. 바울과 베드로가 만났어요 2. 고린도 교회가 나뉘었어요 3. 야고보가 편지를 보냈어요 4. 서로 사랑해요 5. 바울이 교회 지도자들에게 편지를 보냈어요	1. 복음을 막을 수 없어요 2. 바울이 총독 앞에 섰어요 3. 바울이 로마에 가게 되었어요 4. 감옥에서도 하나님을 찬양했어요 5. 바울이 골로새 교회에 편지를 보냈어요
2단원 우리와 함께 계시는 하나님	2단원 기적을 행하신 예수님	2단원 구원자 예수님	2단원 보내시는 하나님	2단원 변화시키시는 하나님	2단원 하나님을 위해 매인 자들
7. 니고데모가 예수님을 찾아왔어요 8. 세례 요한이 예수님에 관해 말했어요 9. 예수님이 사마리아 여인을 만나셨어요 10. 예수님이 고향에서 거절당하셨어요 11. 예수님이 삭개오를 만나셨어요	7. 예수님이 물로 포도주를 만드셨어요 8. 예수님이 하늘의 떡을 주셨어요 9. 예수님이 물 위를 걸으셨어요	5. 예수님이 십자가에서 죽으셨어요 6. 예수님이 부활하셨어요 7. 예수님이 엠마오로 가는 제자들을 만나셨어요	6. 바울이 회개하고 세례를 받았어요 7. 바울이 복음을 전했어요 : 첫 번째 여행 8. 권면의 편지를 보냈어요 9. 바울이 복음을 전했어요 : 두 번째 여행 10. 바울이 유럽에서 복음을 전했어요 11. 바울이 복음을 전했어요 : 세 번째 여행	6. 하나님의 자녀답게 살아요 7. 변화된 마음 8. 성령의 열매를 맺어요 9. 하나님의 전신갑주를 입어요 10. 가진 것을 나누어요 11. 믿음으로 살아요	6. 바울이 빌레몬에게 편지를 보냈어요 7. 바울이 소망을 전했어요 8. 믿음을 지키라고 말했어요 9. 다시 오실 예수님을 기다려요
	3단원 고치시는 예수님	3단원 부활하신 왕, 예수님			3단원 만물을 새롭게 하시는 하나님
	10. 예수님이 중풍 병자를 고치셨어요 11. 예수님이 귀신 들린 사람을 고치셨어요 12. 예수님이 여인을 고치시고 소녀를 살리셨어요 13. 예수님이 나사로를 살리셨어요	8. 예수님이 제자들에게 나타나셨어요 9. 예수님이 도마에게 나타나셨어요 10. 예수님이 베드로에게 나타나셨어요 11. 예수님이 지상 명령을 주셨어요 12. 예수님이 승천하셨어요 13. 예수님을 보내신 하나님을 찬양해요			10. 요한의 환상 11. 일곱 교회를 향한 하나님의 경고 12. 보좌에 앉으신 예수님 13. 마라나타 : 예수님! 어서 오세요

신약 2 성경의 초점과 주제

1단원 비유로 말씀하신 예수님

Q 예수님은 왜 이야기를 들려주셨나요?

A 하나님과 하나님 나라에 대해 가르치시기 위해서예요.

1. 예수님은 복음을 듣는 모든 사람이 예수님을 믿는 것은 아니라고 가르치셨어요.
2. 예수님은 하나님의 용서에 대해 가르치셨어요.
3. 예수님이 우리를 사랑하시듯이 우리도 다른 사람을 사랑할 수 있어요.
4. 예수님은 하나님의 사랑에 대해 가르치셨어요.
5. 세리는 자신이 용서받아야 할 죄인이라는 것을 알고 하나님께 부르짖었어요.
6. 하나님은 예수님을 믿지 않는 사람들을 심판하실 거예요.

2단원 기적을 행하신 예수님

Q 예수님은 왜 기적을 행하셨나요?

A 예수님은 기적을 통해 자신이 하나님의 아들이심을 나타내셨어요.

7. 예수님이 첫 번째 기적으로 물로 포도주를 만드셨어요.
8. 예수님은 5천 명이 넘는 사람들을 먹이셨어요.
9. 물 위를 걸으신 예수님은 진정한 하나님의 아들이세요.

3단원 고치시는 예수님

Q 예수님은 사람들의 어떤 문제를 해결해 주시나요?

A 예수님은 사람들의 병을 고치시고, 죄를 용서하시고, 죽음에서 건지세요.

10. 예수님은 중풍 병자를 고치시고 그의 죄를 용서하셨어요.
11. 악을 이길 능력은 오직 예수님께만 있어요.
12. 예수님은 병든 여인을 고치시고 죽은 소녀를 살리셔서 메시아의 능력을 보여 주셨어요.
13. 예수님은 죽음을 이기는 능력을 보여 주셨어요.